S0-AVH-472

UBLIC LIBRARY

eet

Sacramento, CA 95814

6/11

女人瑜伽教妳經前保養、生理期休護、迎接黃金更年期！

yoga

李玉美的

女人瑜伽

女人瑜伽──簡單是複雜的極致

　　接觸瑜伽，是多年來在健身房重量訓練的「反」。因為時代風氣所趨，以及在健身房跟隨教練做重訓，冀望能有肌肉線條陽剛而分明的好身材，多年下來，肌肉量固然有成，但也因為運動完食慾大增，體重不降反增，同時腰圍更突破90公分，成了名副其實的「新陳代謝症候群」患者，更慘的是，45歲生日那天心血來潮抽驗了血糖，竟然超過了500，一向有固定上健身房習慣的我，竟然有了糖尿病。

　　而接觸瑜伽的同時，我也參與了若干心靈成長課程，上山打禪，也接觸一些奧修靈性等修行團體，才發現以「瑜伽」為中心、45歲以後的我，走上了一條完全不同以往「正統西方醫學」的路。

　　身為一名行醫多年、並在國家級醫學中心任職的眼科醫生，我並不否認奠基於科學實證的西方醫學，細胞及分子生物學的研究成果，說明了身體細胞在物質層次上，遵循一定程度的直接因果律。這裡所說的「一定程度」，來自生物醫學裡，沒有所謂的非黑即白的「百分之百」，再有效的療法必定在某人身上看不出效果。而明明是「安慰劑」的假藥，卻能成功治癒某些棘手的疾病，正統西醫的局限來自於其「方法」的局限性，因為「心」和「靈」無法在實驗室裡被量化。

　　而身、心和靈三者彼此緊密連繫又相互影響的事實，卻早已是人類數千年各古老文明智慧所共同指陳的真理，西方醫學在實證哲學獨大的年代，逐漸拋棄了心與靈的面向，西風東漸，身為擁有豐富傳統醫學與養生知識的中國子民們，竟也隨之忘卻老祖宗的智慧。瑜伽在全世界的

再度風行，毋寧是對西方醫學無力照顧到的「身心靈整合」的一種另類追求與出發。

　　瑜伽藉由體位與呼吸，表面上達到的是筋骨放鬆、椎柱矯正及健身瘦身的效果。殊不知「呼吸」本身從西元前的古老東方（包括印度和中國），便被視為溝通「身」與「心」的橋梁，體位法的訓練從拉長筋肉及鬆開關節等看似簡單的動作裡，卻層次分明改善了體液循環（包括血液及淋巴），活絡了經脈氣血，刺激了周邊及中樞神經的傳導及連結──而這些「身體」的「質變」，卻同時反饋了「心」與「靈」的運作，效果如人飲水，於我而言，除了開刀手術當中腰不痠、膀不痛，最大的改變是整個人「脾氣」變好了，呼吸較以往平順許多，心煩氣躁的時刻也較少有，血糖的控制也由食慾的降低自然而然得到改善，無怪乎瑜伽能在短短的幾十年間風行全球，乃在於其裨益是立即（但絕不是「快速」）而有目共睹。

　　本書中李玉美老師所指導的各種姿勢，看似尋常簡單，卻在簡單中蘊有深意，端看學習者的恆心、毅力及專注力。有「心」，呼吸和體位便能整合成一個無堅不摧的鐵三角。誠如達文西所言：「簡單是複雜的極致」，相信不管是瑜伽的老手或新生，都能從這御繁於簡的瑜伽實用手冊中，學習到另一層的瑜伽新境界！

榮民總醫院眼科

陳克華 醫師

「女人瑜伽」帶妳在生活中找到自己

有人說女人特別愛生病。其實不然，女性只是比較懂得去聆聽自己身體的聲音！

因為染色體和荷爾蒙（動情激素及黃體素）的作用，女性身體在不同時期發生非常不一樣的變化，以便能完成人生不同階段的任務。也唯有如此，女性的生活才顯得多采多姿：青澀的青春期、熱情洋溢的美少女、有品味的熟女、含情脈脈的新娘子、充滿期待喜悅的孕婦、慈愛的母親、賢內助、成功的事業女人、有智慧的祖母……當然，女性的角色也包括了：愛哭的小女生、潑辣、凶巴巴、愛嘮叨的老女人……

身體要掌握發揮這些複雜角色，主要來自於動情激素及黃體素的調控。我們的身體會因日出日落，春夏秋冬而改變，女性的身體，更會隨著「月亮」的週期而產生變化。在生育年齡時會有月經，月經週期如同月盈月缺，身體因荷爾蒙的作用，產生如同海洋潮汐般的改變，充滿了神祕色彩，現今醫學依然無法解釋這種種的變化。當生育功能停止，不再排卵時，即不再受到「月亮」週期的影響，進入更年期。更年期的到來如同月經的開始，完全由身體的生理時鐘所決定，無法改變。當月經不再來時，動情激素及黃體素不再作用，身體狀況逐漸退化，皮膚也留下了歲月的痕跡。

這些身體變化，每天都一點一滴在發生，微妙的改變逐年累積成歲月。身體每天的改變，唯有細心傾聽，妳才能發現。而敏感、細膩，懂得傾聽，正是女性得天獨厚的特質。在身體經歷了這麼多變化時，情緒也起了不小的波濤。因此，仔細去聆聽自己身體的聲音，才能真正了解

自己。知道該休息一下，愛惜一下自己，方能擁有充沛的體力與智慧，再向前邁進。

當妳聽到了自己身體的不適時，別忘了，我們的身體有自我康復的「超能力」。放鬆自己，好好休息一下，給身體一點時間，就可恢復得神采奕奕。但是，如何「放鬆」自己，卻不是一門簡單的學問。放鬆並不是躺在床上睡個幾天幾夜、吃喝玩樂、去找刺激、玩雲霄飛車、打電動，甚至飆車。這類「放鬆」法只會讓自己變得更累，身體更糟。真正的「放鬆」要打從內心做起。去操場跑個20圈、練舉重、游1000公尺嗎？沒有幾個人有那麼好的體力！到底要如何「放鬆」呢？李玉美老師告訴我們一個最好的方法——瑜伽。

瑜伽結合運動和禪修，拉開平常較不用的肌肉和運動不到的部位，透過一呼一吸間，放鬆身體的每一處，減輕身體的不適，修復身體的機能，恢復健康。更進一步的，在身體沒有不適時，瑜伽可以幫助我們擁有愉快的心情、靈活的腦袋、輕盈的體態，和保持體能均衡。瑜伽適合每一個人的體力及狀況，讓我們可以把生活機能發揮得更好。

透過瑜伽，心與靈自然結合為一體，帶我們在生活中找到自己。

臺大醫院婦產科

童寶玲 醫師

健身・練心・養性
李玉美老師智慧的瑜伽

　　初次見到李玉美老師，是在忙碌的門診中，其因更年期血崩，蒼白虛弱地躺在病床上。真誠、嫻雅、祥和、自信，是身為中醫師在「望」診上第一眼的診斷，此間雖脈象洪數逆亂，看似病情嚴重，但心中直覺：這是一位讓我安心會快速復元的病人，因其身心及思慮靜慧，此乃單純肉體的疾病，經施方給藥，必能經脈調和，快速吸收。

　　相由心生，病亦由心生。根據統計，有60％的疾病，是心理因素及生活習慣積累而成。病人最在意的是問醫生什麼不能吃，而醫生更擔心的是病人是否身心安定自在，及良好的生活習慣與態度，這絕對是影響健康及復元的重要關鍵。

　　要維持身體健康及促進疾病早癒，第一是心理，第二是營養，第三是規律作息，第四是導引、吐納（如運動、瑜伽、氣功等）。當然，生病時須求助醫師藥物介入，以期在陰陽平衡下早日康復。在營養方面，食材多元化，不偏食，平日不喜歡的食物應勉強攝取，可補充體內缺乏的微量元素，若能選擇素食更好，長養慈悲，但須多注重蛋白質補充。在規律作息方面，每天晚間9～11點入眠，睡足8小時，身體的造血、免疫、賀爾蒙、神經系統等細胞修復與再製造，都是在入眠後的第5～8小時進行，所以一個人睡眠長期少於7小時，都容易生病，也易低潮憂鬱。運動、瑜伽、氣功等，須配合調氣、調息及心理層次的修養，方符合中醫之導引、吐納，更重要的是持之以恆。

　　在心靈層次上，有兩方面可自我訓練，一是透過觀想與改變觀念態度的學習，另一是專注呼吸法。寬容、慈愛、正直、正念、豁達、放下、樂觀開朗、勇於承擔……是觀想及觀念態度的學習；學會忘記自己身體不舒服的感覺，冷靜泰然，不管雜思雜念，隨時放捨念頭，輕鬆專注在鼻端自然呼吸上。如此不論身體處於動或靜態，隨時、長期的觀想與專注呼吸法反覆練習，變成自己的習性，自然天地的正氣，會如同去除己身寶特瓶透

明的藩籬，內外交融，氣脈調和，心靈自在安舒。

　　女性特有的青春期、月經週期、姙娠、更年期，除了遵循上述的幾項要點外，另有一些應注意且必須求助於中醫師的地方：在兒童期間，須注意是否有正常的成長曲線，若偏瘦小，須及時調治；國小六年級若身體很好可繼續觀察，若體質中等或欠佳，須請中醫師調養，以避免月經來潮後，身高停滯或卵巢發育延遲；月經週期方面，若經血量過多、經痛嚴重，須懷疑子宮內膜異位或子宮內膜異常肥厚增生；姙娠期間，若身體很好則觀察即可，若體質較弱，發現懷孕即須安胎，但須請中醫師處方，切忌自行購買坊間流傳的安胎飲，姙娠6個月到生產期間，胎兒細胞分化成長迅速，是母體心、腎、腦、骨髓等負擔極大的階段，須隨時注重預防與調養，可保護母親順產，嬰兒健康，避免姙娠後期疾病，如高血壓、糖尿病、姙娠毒血症等，及預防產後內臟損傷、產後憂鬱。

　　更年期婦女，除了血崩須立即治療外，大多是暫時性體內賀爾蒙的不平衡，只要依照上述的要點，大多能輕鬆度過，若有影響到生活品質，才須找中醫師調治，一旦恢復平衡，即可不依賴藥物，是否須長期服用人工賀爾蒙製劑，則是見仁見智。但是亦有一些在更年期間好發的疾病，經過積極治療可能快速痊癒的，如高血壓、糖尿病及自體免疫性疾病。許多自體免疫性疾病如紅斑性狼瘡、類風濕性關節炎、貝希氏症，好發於女性的青春期、姙娠、更年期。有自體免疫性疾病或子宮內膜異位或子宮內膜異常肥厚增生的病人，不准服溫補藥，會加重病情。

　　思慮萬千，不如當下實踐，許多智慧的產生並非來自大腦有限的理解，而是身體力行的切身體會。理解是知識，瑜伽與修行都是實踐才能獲得利益，誠如李老師殷切的叮嚀：「簡單的動作，重複做、規律做，你就可以獲得最大的好處。」學習李老師的瑜伽，除了學習優美的體態，及其恆心、耐心與毅力外，更須學習李老師捨棄貪、嗔、痴、慢、疑的功夫，處處不離修心與養性。

　　與其說李老師教導的是「生活的瑜伽」、「修練的瑜伽」，其實更是「智慧的瑜伽」！

培真中醫診所

鄭淑鎂 院長

女人瑜伽的幸福宣言

身為女人，又能教瑜伽，是上天給我最大的恩典！

這本書的誕生，正是銘刻於今生「寧為女人」所許下的心願。

走過51個年頭，歷經青春期、中年期，到邁入更年期，

我將自己上半場的人生經驗，以瑜伽的智慧訴諸疼惜女人的用心，

分享給妳，同為女人，當面臨身體蛻變時的辛苦與喜悅……

記得去年初，有一次經期出血異常過多，當時心想，應該是更年期的前兆，但因20多年來修練瑜伽的成果，自忖身體向來健康，從未有過生理期的不適，不僅輕忽這些症狀，還照常練習瑜伽、做腹部動作，所有生活一切如常。沒想到來經兩個星期，我開始頭暈發脹、頭痛難受，連走路都會喘，持續一個月後，經血終於停止，這才意識到事態的嚴重。

當我的禪修老師MA知道這個情況後，熱心地介紹我去看中醫。看病當天，

一掛完號，我便體力不支地躺在候診室，輪到我看診時，醫生立即診斷出是身體失血過多，造成頭部缺氧，叮嚀我要多靜臥休息。為了安心，我又自行到大醫院做了一次徹底檢查，但除了血紅素過低外，所有報告都顯示正常，之後，幸由中醫和瑜伽的調理，我也迅速恢復了健康。

這段更年期的轉折，如今看似平順無奇，但當自己真正面臨時，還是不免忐忑。因為，既要有足夠的體能應付身體突然的異常；心理上也得調適接受更年期的到來……然而，這些身心交替出現的各種現象，非但沒有將我擊垮，反而讓我深深體認：這一切的安排，是上天要透過我的

身體，讓以往自恃擁有瑜伽源源不絕能量的我，能夠更加感同身受女人生命的奧妙，學習以謙卑、體貼的心，來傳達瑜伽的意義與價值，幫助每個女人順利跨越另一個黃金階段。

瑜伽是人人都會的本能

我是位瑜伽老師，學生九成為女性，多年前就曾有學生跟我分享她們的更年期不適，雖然這回也親身經歷了血崩，但事後自己的身體卻變得更健康，更印證了我的瑜伽做對了！

28歲那年，我為了個人健康開始接觸瑜伽，經由身體的練習，漸漸地，啟迪了自我心靈的探索。這些年來，從學瑜伽、做瑜伽、教瑜伽，不但讓我具備了有用的身體、健康的心志，更創造出有意義、有價值的人生。

在瑜伽道路上，我並不刻意追求體位法或高難度動作，而是在自己的位置上，用一種享受、認識自己的心去學習、

精進。如同小嬰兒與生俱來的本能，躺在床上不時地踢踢腿、揮揮手臂……一顆純真的心，自然伸與縮的行為──這就是瑜伽！

然而，簡單的動作願意重複做、每天持續做，就不簡單！

因為，瑜伽要帶給我們的，是要教我們懂得專注每個當下，感受心底油然而生的能量與力量。所以，瑜伽的學習，應是愈學愈像初學，每一次的延展，像是藉由瑜伽和身體做朋友，都可以發現另一個新的自己。

瑜伽是觀照身心的智慧

瑜伽的好，瑜伽的重要，從古書智慧，即見分曉──「久視傷血，勞心；久行傷筋，勞肝；久坐傷肉，勞脾；久臥傷氣，勞肺；久立傷骨，勞腎」之所以造成心肝脾肺腎疲勞的原因，終歸到底，就是我們的姿勢維持過久。而瑜伽的調身功效就在於反其道而行，只要離開目前的固定姿勢，就能重獲精氣神的充沛。

舉例來說，許多的上班族常一整天盯著電腦工作，聚精會神看久了會耗損過多的血液，心臟血液舒張不良，容易引起心血管方面疾病，而且頭是精神的家，缺乏大量深呼吸造成腦部氧氣不足，人便容易精神虛脫感到倦意；此時，我們將眼睛看向遠方綠意、上下左右轉個幾圈活動眼珠，延展頸部做深呼吸，腦袋獲得心血滋養，工作自然更有效率。同理，走久了要停住歇息；坐久了要起來活動；臥久了要起身伸展；站久了要坐一會兒，這些都是所謂瑜伽的反向操作。

現代人的飲食營養很足夠，也頗有運動觀念，很多人都曾接觸過瑜伽，蒐集各門各派的經驗，但那些都還不是瑜伽的真正意義。瑜伽的價值，是要能將這些所聽到、所了解的東西，每天持之以恆做正確練習，才能真正轉化我們的內心。並且從經驗瑜伽的過程，藉著覺知呼吸的進出，觀照到身體目前的種種狀況，因為，「心」是與呼吸緊緊相隨，唯有靜思慮得，才能找回本我，覺察心靈的力量。

給自己一個改變的機會

人的心靈擁有無限大的力量，儘管人生不如意事十之八九，但面對逆境時，要能學習對挫折抱以感恩，因為這些都是滋養我們修行的成長之路，只要帶著正面態度，不起負面心亦不生惡念，心便能靜下

來看見很多可能性，困境也終會逆轉。

透過瑜伽，我們訓練心智往好的方面看，得以提升自己；看到不好的，也可以提醒自己，試著認識自己的心，心只要向內轉，就會發現蘊藏的無限智慧。我的禪修老師MA曾說：「向內看是解脫，向外看是輪迴。」一個人的心成熟到哪，對事情和瑜伽的領悟就到哪！

在練習瑜伽的過程中，會讓我們變得謙遜，就像做體位法時，一定有很多動作是做不到的，這就表示人並非完美如聖賢，多少都有缺陷；生活上也是，常有做不到、不夠好的地方，但不管今天過得是順或逆，我們都要對所擁有的東西抱持感恩的心。在瑜伽課堂上，我都試著用引導的口令和呼吸的巧妙加以串連，讓每個人升起內在的力量，將煩躁的心慢慢安靜下來，帶著勇氣去勇敢面對自己。

如同每個人都有責任做好內在修持，學習慈悲和愛，才能真正對他人關心。而我也常常惕勵自己，做每件事情前，要能先看到「利他」的動機，以喜悅、積極、上進之心去完成。而為了幫助別人也能同享健康之福，我以瑜伽和眾人結緣，希望透過瑜伽的相遇，建立起如親人關愛般的連結。

現在，試著把時間留給自己，讓瑜伽的練習，去除自己的習氣，升起改變的力量，對於這樣的能力要有信心，不再縱容自己，認為自己天生如此。相反的，要下定決心，努力讓自己成為一個更健康快樂自信美麗的女人。

李老師可以，相信妳一定也可以！

開始女人瑜伽，開始幸福！

我是個很平凡的女人，卻因為瑜伽讓我的生命不平凡！

投入瑜伽的教學後，看到那些來上課10幾年的學生們，個個變得自信耀眼，對待身邊的朋友、家人，都比以前更柔軟、溫暖和包容。一路走來，和學生間的互動與愛，彼此鼓勵的勇氣、堅持……點滴在心的感動，成為我生命中最大的資產！

這一切的改變，也同樣感染了自己最親近的人，讓我的先生也開始接觸瑜伽，甚至放棄優渥的代書工作開始教學，與我步上瑜伽之路。相信，瑜伽不僅能為自己帶來美好的改變，這股良性作用力也會影響周邊的人事物，串連人生中每一回真善美的當下。

寫這本書的最大立意，不僅是傳達瑜伽跟身體對話的重要性，也是我想與全天下女人的對話，希望瑜伽印證在我身與心的所有美好，有一天妳也能感受得到！

如今，這本書已順利完成，心中更是充滿無限的感謝……

這段期間，許多醫師朋友願意無私地給予我專業醫學上的意見：有培真中醫診所的鄭淑鎂醫師，提供許多正確面對更年期的知識和觀念；還有台大婦產科童寶玲醫師，以專家的經歷和指導，讓人獲益良多；以及每年都會到印度義診的俠心醫德醫師陳克華先生，都讓我學習到瑜伽之外，更多的保養之道，如何把握第一時間的黃金調養期。

而銘記在心的一生良師，也是本書最大的功臣：像禪修老師MA指導，讓我從心理看向身體的領悟更多了。今年一月我們去印度大吉嶺修行，她給了我很多心靈

上的指導；而長期在飲食上給我指導的歐陽英老師，在我血崩最無助的時刻發了一封溫暖簡訊，他安慰我，「女人在停經之前，能將體內污血徹底排淨，當然是件好事。換個角度思考，這次的大淨空是女人再造體質的絕佳機會，先有大破壞才有大建設，這次必是您脫胎換骨的轉折點，只要一切平常心對待，就可成就天命。」並體貼地為我設計更年期食譜。

還有柯文博老師在痠痛部分給我很多指導，他曾勉勵我，「當妳有這樣使命的時候，上天就會給妳一副怎樣的身體去幫助他人，只要真心努力為別人著想，有任何逆境出現時，妳也會自然而然走過。」這些話更是帶給我莫大的激勵與向上向善學習的心。

當然，最讓我窩心的是那些曾和我一起上瑜伽課的學生們，尤其是師資班種子學員及教室團隊們，讓我永遠有無限精神去做瑜伽更深入的學習和了解。而許多曾來教室一起做瑜伽的偶像才女劉若英、國泰婦產科主任蔡明松醫師、臺北藝術大學舞蹈學院平珩院長、兩廳院副總監謝翠玉女士、農委會林務局局長顏仁德先生，你們對此書的真情推薦，一定可以因此幫助到更多的女人。

最後要感謝我的家人們，尤其是我先生，無怨無悔地在瑜伽上支持我一路走到現在。我想，就連專業醫師都百忙之中來成就這本書，那妳呢？妳願意給自己怎樣的機會去造就健康？

願所有成就本書誕生的善心善緣，迴向給全天下女人，永遠快樂健康、自信美麗，生命受用。

PART 1

平日勤保養　擺脫經前症候群

瑜伽是印度非常古老的一種修持法，歷經傳承的洗禮，至今仍
能涵養我們身心靈各層面，而我也將多年瑜伽心得融入生活，
轉換成更貼近大家的養生法。尤其是女人的保養問題，經年累
月的生理期過程，更需要多點用心來呵護自己，因此，透過簡
單的瑜伽，希望可以幫助大家一生保健、受用無窮。

經期是女人的奇異恩典

了，這時最重要的是做個往內傾聽者，傾聽自己當下身體、心識的狀態、情緒的變化，學習放下。雖然有些人會害怕瑜伽所帶來的痠痛，殊不知就算未練習瑜伽，那些痠痛也早就累積在體內。如果可以在能力所及內，瑜伽所產生的痠痛，其實是種淨化的過程，以伸展的方式將體內最深層的東西帶到體表，藉以釋放體內酸性物質，所以說「瑜伽是以痠痛治療痠痛」。

然而有些人卻只注重體位法或是勉強硬拉，反而忽略了瑜伽是要我們學會放鬆，在一呼一吸間，透過放鬆來達到伸展的目的。在感覺痠痛的當下，讓心往內看自己所有的狀況，這種覺知就是往內的修持；在瑜伽墊上，我們因專注於動作和呼吸而暫時遠離煩惱與壓力，真實地面對

身為一個女人，擁有孕育生命的能力，是上天賜予的恩典，就像女人每一次的生理期變化，身體猶如歷經內在宇宙的蛻變，使我們一回比一回更健康、更美麗，也更成熟。但是，女人只要提起經前的大大小小毛病，卻無不感到困擾：從腹脹、便祕、頭疼、疲倦，到憂鬱、恍神、情緒暴躁……總希望可以擺脫這些苦惱找回健康。其實，女人只要懂得多關愛自己，傾聽自己內在聲音，藉由瑜伽延展、注意飲食及情緒管理，就能調養出好體質，擺脫經前症候群。

瑜伽，讓我們學會往內傾聽

在瑜伽延展過程中產生的痠與痛，是身體在告訴我們哪裡不舒服或哪裡緊繃

自己、接納自己，此時所感受到的舒服自在，彷彿是身體向你訴說「做瑜伽真好！」

　　瑜伽就像是一個整體性的能量系統，有如身體的水流，滋養全身上下每個器官，有著牽一髮動全身的修復功效，每個動作都兼顧前後、左右、上下及扭轉，具有全面性的幫助，當然也包括子宮。它並非一項對症的功法，做某個動作只和一個症狀有關而已，只要正確地伸展，就能促使氣血循環，同時提升身體各部位的能量。當氣血循環好時，光是自然呼吸，靜靜感覺空氣進出鼻孔也會是最好的瑜伽。

「女人瑜伽」教妳做個快樂的經期美人

　　為了方便忙碌的現代人，能在不同時間和場所做瑜伽，我設計了相當生活化的平日保養功法，並區分成五大功能Set，讓每個人可以選擇自己比較弱的地方加強鍛鍊。即使妳在經前或經期沒有任何不適症狀，這些動作也絕對能幫妳做到平日保養、增進健康。

　　事實上，做任何一個動作時，只要配合自然呼吸、不勉強，並在姿勢中做停留，專注呼吸以養氣血，依照自己的身體狀況決定伸展的程度，這樣就是對妳最好的瑜伽了。如果我們做超過自己的限度，一旦讓身心緊張，反而會使能量阻塞，影響氣血循環。所以在做伸展動作時，記得讓心放鬆，用呼吸去帶領身體，此時的氣血循環，就能幫助體內代謝不好的東西，也才是瑜伽真正的好處。

　　假如妳的體質虛弱，或是累到沒有氣力練習動作時，我還特別設計了替代動作幫妳恢復疲勞。所謂「有依有靠力量大」，只要找個東西支撐（例如枕木或牆面）就可以達到很好的伸展效果。它不但可分攤掉妳的壓力，創造身體更大空間，也能讓妳在很放鬆的狀況下做延展，舒緩疲累的身心。另外，在「健康百寶箱」裡，提供了我多年修持瑜伽以來，非常喜歡的私房動作和養生食譜，既簡單又方便，適合生活步調忙碌的妳，對妳的平日保養定有所助益。

　　「保養」二字，是保持、是養成習慣，也就是要持之以恆養成好習慣，就能為自己儲存健康。相信只要帶著喜悅的心做瑜伽，用快樂的心情面對每次伸展，即使是簡單的小動作，只要融入生活就能受益無窮。因此我所表達的瑜伽，不是一定要做困難的動作，而是持續做就好。對任何事情也一樣，要先讓自己有餘地，才有能力留餘地給別人；自己先健康快樂，自然有更多的空間留給別人，也更能付出與包容，成就自己也饒益他人，這就是瑜伽的美。

[Set 1] 紓解鬱悶5連動
和壞心情説Bye Bye！

　　女性經前的荷爾蒙變化容易影響到情緒起伏，狀況輕微者可能只是心情低落，明顯者甚至伴有焦慮、鬱悶、暴躁、易怒等情緒障礙，這些不對勁的感覺其實説明了身體正處於低能量狀態，不知不覺就容易導致憂鬱症。

　　「憂鬱」是現代人的文明病，由許多身與心的不舒服累積形成，而身與心有著一體兩面的因緣關係，當身體失去平衡或活力，就會使得心不健康、心態變老；而心的負面思考也會造成身體沒有力量，若再失去學習的態度，想得多做得少，人便容易提早老化、失去自信心，顯得身心俱疲。因此，從整體性的觀點來看，若妳一直都沒有處理好情緒或壓力的問題，再好的食物、再棒的運動都是短暫的。

　　那該怎麼讓自己快樂起來？一方面我們要讓心保持正面思考，一方面則可依本書【Set 1】設計的瑜伽連動：向上向後延展到任脈、前彎牽引督脈，當任督二脈暢通時，便能達陰陽平衡之效。由於瑜伽動作講求陰陽平衡，肚臍以下要強而有力、肚臍以上要柔軟自在；亦即腹部要有力，胸口、肩膀要放鬆，每個動作都在鬆緊伸縮之間取得一種平衡，就能達到紓解鬱悶的運動功效。

→實用功法：心肺舒展＋全身運動

瑜伽與經絡

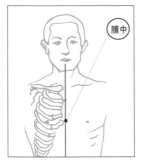

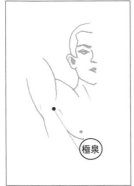

實用功法的經絡穴位：

膻中穴： 屬任脈穴道，在兩乳正中央，為氣所回旋之處。利用兩手擴胸打開膻中穴，對胸悶、胸鬱有很好的寬胸之效。《求醫不如求己》的作者中里巴人曾形容説：「無敵瑜伽通經絡。」也就是説瑜伽的每個伸展都能暢通身體每一部位的經絡。

極泉穴： 盡處是極，水之高而有源者曰泉——心主血脈，也是心經的最高處。常常兩手向上伸展，掌心托天，可以預防心臟缺氧、心絞痛等心血管疾病。

連動式 **向上伸展**

【意念】

雙腳站穩，往下扎根，感覺大地給予妳支持的力量。抬頭向上，迎向開闊天際，感覺天空給予妳祝福的能量。

【動作】

站立後吸氣，雙手向外擴胸再向上延伸，十指交扣。停留3個自然呼吸。

站立時，雙腳用腳弓與腳跟的力量，距離約一個拳頭或與髖關節同寬。伸展時，腳底的力量往下沉，脊椎往上延伸，尾骨向下，不翹臀。

功效 從腳到手做徹底延展，不僅給了脊椎更多的空間，也使身體更挺拔，不會顯得無精打采。

連動式 右半月式

【動作】

雙手往上伸時吸滿氣，吐氣時將身體向右側延伸。停留3個自然呼吸。

放鬆右側伸展左側，把注意力放在身體延伸的一側，專注力到哪裡，妳的氣血便養在那裡。

【意念】

釋放妳所有的負面情緒，別忘記上方的天空無所不在，祝福也無所不在。去感覺氣的流動，讓氣暢通，上達手心，下至腳底。

功效　暢通上半身淋巴系統，促進陰面血液循環，活化負面細胞。脊椎是受身體兩側的肌肉所保護；側邊的肌肉不緊繃，有柔韌性就可減少脊椎側彎發生。

連動式 左半月式

【動作】
接續右半月式後，吸氣，身體回正，
吐氣換邊延伸，放鬆左側伸展右側。
停留3個自然呼吸

【意念】
回正的同時，也回到
妳正面的思維，喚醒
內在的智慧和愛，如
同滿月迎接太陽的升
起，等待光明。記得
這種感覺，持續提醒
自己。

連動式 完全擴胸

【動作】
吸氣，雙手張開向後十指扣住，放鬆肩膀，手向後延伸擴胸。停留3個自然呼吸。

夾肩胛骨是這個動作的重點，要放鬆背部肌肉，雙肩往後夾，胸口自然就會打開；倘若用力夾緊的話，呼吸便被卡住，心若緊張，身體的能量也會被堵塞，氣就不會通。

【意念】
把自己打開，用心迎接任何一切的可能性。雜念少，煩惱自然少，打開妳的心智，像個孩子一樣，對什麼都感興趣。

 擴胸能伸展到胸腺和膻中穴，也暢通心包經和肺經，讓心肺不鬱悶、身體不駝背，並且能增加自信心與正向思考。

連動式 前彎伸展

【動作】

吸滿氣，吐氣時身體前彎，脊椎往大地的方向延伸，腹部向內，膝蓋上提。

前彎時，腹部收縮，利用腳弓與腳跟的力量往下踩穩，讓地心引力的牽引將身體自然地慢慢向下彎。

【意念】

向下，讓妳的心更謙卑、更穩定，將心向內溶化，用自己身體的力量，溫暖地擁抱自己，成為最美麗的自己。

功效 前彎動作能讓我們的血液流到頭部和臉部，滋養細胞。大腿後側肌肉因為獲得延展，臀部就不容易因地心引力往下垂，同時打開下腰，也能預防腰痠背痛的毛病。

[延伸變化]

【手部變化】

雙手往內扣時，可以做到腕關節、肘關節、肩關節更深層的延展，透過扭轉的動作能使手部關節更靈活。

·動作：

將雙手交叉扣，掌心合十。

【身體旋轉】

腰部關節平時多是做單一側彎、前後彎的動作，很少做旋轉，因此將前後左右四個彎腰面向連動起來，以旋轉運動強化腰部能量，可以做到更深層的延展。

·動作：

做全身性旋轉、圓形運動。

【休息式】

當上半身做了強度伸展或扭轉，就必須讓每個關節回復、氣脈歸經，因此休息姿勢是為了讓身體拉開、用力的地方，回復到原來的放鬆點。可採蹲姿休息。

·動作：

屈膝蹲下，雙手抱膝，頭放在手臂上，放鬆休息。

■ 妳也可以這樣做～

　　很多人因為長期固定一個姿勢的關係，造成肩膀和腋下的緊繃，感覺肩膀卡卡的，手也沒有辦法徹底舉高，如果有個東西可以扶著或幫忙支撐，可以方便妳輕鬆達到伸展效果。或者當妳累了，利用身體的重量來按摩，可以毫不費力消除疲勞，又不會消耗身體過多能量。

上扶伸展：

·**輔具** 門框、欄杆，或任何可以向上支撐的地方（例如樹木）。

·**動作** 雙手向上握住門框，臉朝上看可加強延展力，停留3個自然呼吸。但請注意，先做頸部的淋巴伸展再抬頭，以免拉傷。

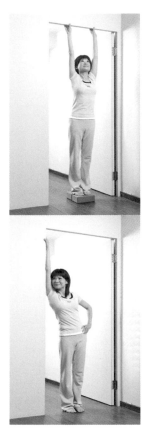

側扶伸展：

·**輔具** 門框

·**動作** 單手握門框，延展腋下淋巴，停留3個自然呼吸。單手做完再換邊做，循序漸進才不會拉傷肌肉。

側趴伸展：

·**輔具** 枕木、圓形長竹

·**動作** 側躺，將枕木置於腋下，以放鬆休息的方式用身體壓枕木，深呼吸數次，再前後滾動。滾動按壓淋巴結能活絡細胞，是非常好又簡單的方法。

李玉美的健康百寶箱

當我們的血液呈現躁熱或酸性時，便容易感到疲倦昏沉、心浮氣躁，甚至憂鬱煩悶。血液含氧量與養分的不足，跟體內氣血失調有關，因此在健康養生方面宜注重涼血原則，靜心以養血，靜而後能動，人才會有活力去行動。

養生食譜

南瓜菜脯粥

南瓜營養價值高，富含礦物質和維生素，可健脾暖胃、補中益氣。陳年的老菜脯有清涼降熱、潤腸通便作用，平時可切成細末配飯或配麵吃，或是煎成菜脯蛋都十分開胃。

· **材料：**
南瓜1/4顆＋老菜脯少許＋糙米飯一碗＋芹菜少許

· **做法：**
先熬高湯，葷食者可用大骨或小魚乾；素食者可用根莖、玉米等蔬菜。
南瓜連皮切丁，放入高湯中再加入米飯一起熬成粥。
老菜脯先泡水去鹽分再切成碎末，加入粥內一起熬。最後灑上芹菜末即可。

■ 大禮拜

這是以靜心帶來能量的最佳動作，每天盡可能做108次，以虔誠感恩的心跟自己身體對話，與呼吸泰然相處。在最貼近自己的當下，心中的煩惱、恐懼、想法，以及生活等瑣事都會暫時遠離，於澄淨的思緒中重新看待許多的可能性。

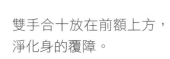

雙手合十放在前額上方，淨化身的覆障。

START

雙手合十置於胸前，用虔敬的心將自己紛亂混雜的心，由外往內覺知回到自己的當下。

再依序從趴地、跪地、彎腰回到合十站姿的預備式。
即完成一次的禮拜動作。

雙手向前伸直，做五體投地，淨化貪瞋癡慢嫉五種煩惱。

雙手合十回到胸前，升
起淨化口、意的覆障。

雙手仍合十，身體前彎。

雙手撐地，膝蓋無法伸直
的人可微彎。

臀部向後坐，身體跪趴，
來到〔嬰兒式〕。用柔軟
感恩的心臣服於大地。

雙手仍貼地，身體往前推
著地。腳跟併攏伸直，前
額點地。

[Set 2] 遠離經前頭疼5連動
提神醒腦活力來！

　　經期頭痛是很多人的困擾，生理期前或來經時，因為荷爾蒙造成血管的變化，有時會使得頭痛更加明顯。若在生理期因洗頭受風，或沒做好子宮部位的保暖，就容易引起生理痛或感冒。感冒病菌通常會襲擊人體最虛弱的點，侵入腸胃道便是腹瀉，阻塞頭部就是頭痛了。

　　人的頭頸後方有風池穴，顧名思義為聚集風的池塘，當風寒入侵人體時，風池穴會起保護作用以避免濾過性病毒擴散至頭部；但如果風池穴失去作用，寒氣便入侵頭部，引起頭痛、偏頭痛、頭暈腦脹、眼睛乾澀、喉嚨痛、鼻塞、耳鳴等症狀，因此頭痛又會牽動到七孔——眼耳鼻口的不適。頭部的昏沉、精神的疲勞，需要充分的休息、補充足夠的水分，以及身體適當的活動伸展下，才能獲得恢復。

　　連結頭部與身體氣血循環的道路是頸、肩、手，手部不但微血管密布，也是心肺經絡通行的路徑，所以遠離頭痛要先從手做起，伸展手部而牽動到頸肩和頭，才能有效疏通頭與肩頸的氣血循環或痠痛，也不容易感冒。當然，如果頭痛是由於其他的隱疾誘發，就一定要先尋求醫生的幫助。

➜ 實用功法：末梢舒展＋頭頸肩運動

瑜伽與經絡

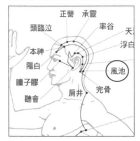

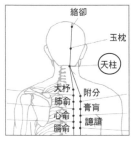

實用功法的經絡穴位：

風池穴：風寒、風邪蓄積之處為風池，屬於膽經之穴位。轉動頭部，伸展頸部及配合手的動作或按壓此穴，有很好醒腦的功效，不容易感冒，對頭痛、頭暈、頸項痠痛有很好的保健功效。

天柱穴：屬膀胱經的穴位，常頭痛、頭暈、昏昏沉沉，氣上不到頭頂的人，常常緩慢地轉動頭部、伸展頸部，可使腦部清醒，不會頭昏腦脹。

連動式 伸展右邊

【動作】

坐姿，脊椎挺直。

左手置右膝上，右手張開向後伸展，頭
轉左側延伸頸部。停留3個自然呼吸。

【意念】

吸氣時，將意念帶到手指
頭，吐氣時手指虎口張開
向後，把頸部向左邊延伸
更多，享受頭、頸、肩延
伸所帶來的空間。

功效 一般我們做運動都只練到大肌肉痠，很少練到手指痠脹；痠是毛細孔
的血液在充電，脹是皮膚在充血的狀態。透過瑜伽的意念引導，能幫助
我們做到手指有痠麻脹的感覺，可以加強末梢血管的血液流量。

連動式 伸展左邊

【動作】
改換右手置膝，左手向後伸展，頭轉右側延
伸頸、肩部。停留3個自然呼吸。

功效 延展頸和手部經絡，能使氣血循環變好，就不會頭昏腦脹。頭和手腳一
樣同屬末梢，末梢的氣血循環不好就會頭痛、手腳冰冷。從指甲生長的
速度，可視為身體健康的指標，多做關於手（或腳）的動作，新陳代謝變
好，指甲就會長得快；反之，容易手腳冰冷的人指甲就長得慢，這也是為
何小孩比老人更常剪指甲的原因了。

連動式 伸展前面

【動作】

往後夾背擴胸，十指撐地，吸氣。肋骨放鬆上提擴胸，下巴上抬，眼睛向上看，伸展頸部。停留3個自然呼吸。

【意念】

打開妳的心胸，感覺上半身完全的放鬆，放下思慮，放下緊張，讓大腦休息，只有呼吸陪著妳，用吸氣增加身體的寬度（容氧量），用吐氣增加身體的長度（柔韌性）。

連動式 伸展後頸

【動作】

雙手抱頸，脊椎打直，不可彎腰。頭向
下彎，手肘盡量向前互靠，放鬆臉部、
喉嚨，延展後面的七節頸椎。停留3個
自然呼吸。

功效 任何頸部的延展動作都要緩慢進行，頸部是人體淋巴系統密集的地方
之一，當身體與頭部的氣血暢通無阻，便不易感冒、頭痛。

連動式 調息舒緩

【動作】
頭慢慢回正，雙手置膝，放鬆頭、頸、肩、
胸、腰、腹、鼠蹊、大腿、小腿，骨盤要坐
正，身體要左右對稱。自然呼吸調息。

功效 不論是坐或站都要姿勢正確，才不會產生疲勞，加速能量消耗。一般人常在站
或坐的時候肚子前凸、腰凹陷下去、屁股丟在後面，就會顯得懶散沒精神。

[延伸變化]

【雙手點肩】

手肘同時做上抬加扭轉。有些人的柔軟度較好，可以選擇做延伸動作，雙手在肩所帶動的能量更強，再加上手上抬動作能更深層地延展，可以更細微地檢視自己的身體。依自己的年齡、身體狀況，去選擇對妳最適合的動作。

・**動作：**

❶坐正，雙手手指點肩，從腰椎、肋骨、胸椎、肩膀、下巴盡量向右轉。停留3個自然呼吸。

❷身體回正，換邊做。

❸右手扶左膝，左手向右上延伸，眼睛向下看。停留3個自然呼吸。

❹換邊做，右手向左上延伸。

■ 妳也可以這樣做～

雙手托臉：
- **輔具** 瑜伽磚、抱枕
- **動作** 輕鬆屈膝坐姿，雙膝上放瑜伽磚或抱枕，手肘撐在輔具上用雙掌托下巴，伸展頸部。自然呼吸。

改換左手托臉，用頭的重量，伸展右側頸部。再換右手托臉，伸展左側頸部。

頭滾枕木：
- **輔具** 枕木
- **動作** 舒服躺下，將枕木放頭下，頭緩慢向右轉壓到痠點停留，自然呼吸數次再換邊。利用壓木頭的方式來按摩頭部，既不費力又可做到深層按摩。

李玉美的健康百寶箱

通常體內血氣運行不暢時，便容易因淤塞不通而出現痠痛，再加上平時情緒或生活、工作上的緊張壓力，使得愈靠近大腦的地方愈容易緊繃，導致頭痛好發於太陽穴，因此活絡耳後到頸側的經絡，頭部便不缺氧，自然就能容光煥發，精神飽滿。

養生食譜

九層塔煎蛋

這是一道老祖母的私房菜，富含高鈣，對祛傷化淤很好。九層塔具特殊香氣，植株很少菜蟲自然農藥也少。

·**材料：**
土雞蛋兩顆＋九層塔一把
·**做法：**
先將雞蛋打勻，再加入九層塔碎末拌勻。
用小火煎蛋。起鍋後淋點有機醬油膏即可。

■ **獅子吼**
每天做5次，能促進腦部和臉部的血液循環，對喉嚨很好，並且有助於耳聰目明、頭腦清明、記憶力更好。
·**做法：**
將嘴張大，舌頭向下拉長，眼睛撐大，臉部五官盡可能的張開，把廢氣吐掉。最好空腹時練習。

■ **刮頭**
主要功效為祛風、明目、可以預防感冒。
·**做法：**
利用刮痧棒或簡易的圓潤棒物即可進行頭部的按摩，不論是上下來回，或是點壓柔按的方式均可，輕輕刮耳後到頸肩，也可按壓風池穴。

[Set 3] 強健腰腹力 5 連動
消化順暢清宿便！

　　女性在月經前由於黃體素變化、經前症候群作祟而有嗜吃傾向，容易造成體重增加與消化不良問題。如果希望腰部贅肉不見，要先顧好腸胃，但大前提是：腹部要有力！

　　腹部是身體能量的核心地帶，尤其是肚臍下三寸的地方（又稱丹田）為男子藏精、女子蓄血之處，強化下腹力（丹田力）對婦女月經不調、經痛有很好的保健功效。從早上起床、如廁、走路到說話，都由腹部力開始傳遞能量，而腰腹又緊密連結形成身體的軸心，承載上半身重量、輔助下半身動作，軸心不平衡會產生腰痠背痛、閃到腰等情況，因此就有「鍛鍊在腹，成就在腰」一說；也就是說腹部有力，腰就不痠。

　　瑜伽動作可以訓練腹肌力、延展腹腔的空間，練習氣沉丹田以強化腰腹力，並透過伸展橫隔膜讓上氣能接到下氣，還能增加腹腔與腸胃道的蠕動，使腸胃消化力變好，肚子也就不易堆積脂肪，生理期排經也會較順暢。

→實用功法：腹腔延展＋腰腹運動

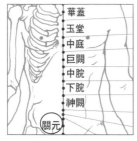

瑜伽與經絡

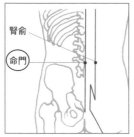

實用功法的經絡穴位:

關元穴: 又稱丹田,屬任脈,位在肚臍下三寸,為元氣交關之所,故名關元。常常按摩、伸展及鍛鍊下腹部力量,對婦女及男性都很好。此地帶又俗稱是氣的銀行,所謂丹田有力、走路有風,對經期經痛、月經不順有很大的幫助。

命門穴: 屬督脈,在兩腎的中間。人身體的重要門戶,故曰命門。常常扭轉、伸展,對腰痛、腰扭傷、坐骨神經痛、腰痠、月經不順有很好的保健效果。

連動式 向左扭轉

【動作】

以右臀坐地,雙腳彎曲,雙膝往右
倒,腳併攏離地,雙手撐地,肩胛骨
往後,打開肩膀,將肩膀往右擴開。
停留3個自然呼吸。

【意念】

從心底微笑到嘴角,喚醒
身體的覺知,準備儲存
身體的能量。透過深吸深
吐,給自己源源不絕的信
心與力量,也帶出自己更
多的機會與挑戰。

 功效 由於腰主腎、腎主骨,透過扭轉使腹側——擠(排毒)——拉(暢通),能
刺激到腎臟功能,還鍛鍊到腰腹力。單側坐能按摩臀部的環跳穴,屁股
才不容易鬆垮。

連動式 ② 向右伸直

【動作】
用腹部和大腿肌力將雙腿向右伸直，勾
腳跟。停留3個自然呼吸。

腹肌力夠的人可以雙腿畫圈回正，或是
雙腿先彎曲再回正。

功效 雙腿併攏伸直更能加強核心力量的鍛鍊，也延展了大腿內側和外側的肌
肉線條。

連動式 向右扭轉

【動作】

換左邊重複〔式 1〕動作。停留3個自然呼吸。

功效 人的動作不外乎伸跟縮，例如爬行動物要一屈一伸才能前進，身體要能伸縮自如，才能蹲、能跳，靈活自在。古文說：「屈伸不能，筋將憊也，能屈能伸大丈夫。」瑜伽就在伸縮之間而已（當然還有專注和覺知），身體能伸能縮，心就能柔軟自在，抗壓性也比較好。

連動式 4 向左伸直

【動作】

雙腿向左重複〔式2〕動作。停留3個自然呼吸。

連動式 前彎放鬆

【動作】

雙腿回正放在地上，身體前彎休息。

回復前面扭轉伸展後的腰、腹。

放鬆腰、背、肩膀。停留3個自然呼吸。

功效 透過延展、扭轉的痠，將帶給身體更大的空間、更多的自由。

[延伸變化]

強化腹部的力量，除了前述5連動練習腹腰的肌耐力之外，還要加強延展腹腔空間，將腹腔和橫隔膜整個打開，不壓迫到內臟。

【駱駝式】

·動作：

❶長跪，膝蓋張開與臀部同寬。右手叉腰，左手向上延展，大腿往前推，尾骨朝下。

❷右手沿著大腿、小腿到腳踝並握住右腳踝。停留3個自然呼吸。初學者可掂腳尖做。

❸吐氣，左手往後握住左腳踝，身體後彎。吸氣時，將胸部和腹部上提，頭部放鬆後仰，延展脊椎不折腰。停留3個自然呼吸。如果身體彈性較好的人，可把腳背放平貼地。

最後可將臀部往後坐下，身體自然前趴，雙手放兩側，做〔嬰兒式〕休息。

■ 妳也可以這樣做～

腹壓枕木：
- **輔具** 枕木、瑜伽磚
- **動作** 趴著，將枕木或瑜伽磚放在腹部，用身體重量壓枕木，按摩腹部。

  用枕木或瑜伽磚做〔蛇式〕，加大腹部延展的空間，能使氣下沉丹田。停留3個自然呼吸。

李玉美的健康百寶箱

長期久坐的人，容易出現腸胃沾黏、脹氣、經血排出困難、便祕等問題，而且緊張、壓力、沉不住氣更容易胃脹氣，因此運動延展肌肉到極限時要記得做深呼吸。只要腹部有力，腸胃蠕動就好，經期也自然無礙順暢。

> **養生食譜**
>
> ## 芥菜杏鮑菇
>
> 芥菜俗名長年菜，顧名思義有延年益壽的好處，即使煮黃了也很好吃。大部分經血閉塞的人，容易有便祕傾向，芥菜是少數能根莖葉全食的蔬菜，富含纖維質，有助腸胃消化，排便就順暢。
>
> · **材料**：
>   芥菜1/4顆＋薑＋杏鮑菇
> · **做法**：
>   芥菜的莖和葉都切成斜片，薑切絲，杏鮑菇切片，備用。葷食可多備肉片。
>   用中火，以半匙茶油和半匙麻油先爆薑。
>   放入芥菜，加一點水悶。加入杏鮑菇拌炒，起鍋前加點胡椒粉即可。

■ 腰腹按摩

空腹時做，可強化腹部蠕動。靜坐完做此動
作，可幫助腰腹肌肉放鬆。

·做法：
坐姿，保持手臂放鬆，手肘彎曲，雙手置膝。
吸氣，身體向前。

吐氣，身體往左扭轉，用右手推右膝的力量加
深腹部的收縮和扭轉。

吐氣，腰背放鬆拱背，肚子縮，用肚子內縮的
力提肛、縮陰，練下腹肌力。雙手推膝的力
量，可加強腹部力。

用左手推左膝蓋的力量，將身體向右扭轉。
身體回正，重複腰腹繞圈的動作，像果汁機攪
拌一樣，把脂肪及不好的東西擠壓出來。左繞
8～10圈，再反方向右繞8～10圈。

[Set 4] 排除腫脹5連動
體態輕盈多神采！

　　多數女人都有身體腫脹的困擾，例如久坐久站、熬夜、疲勞、生理期、產後等情況，都會使身體浮腫，因為長時間維持同一個姿勢，重力作用造成靜脈回流較差，下半身容易浮腫。腫脹即為積聚，當體內聚留不好的東西且無力排除時，愈積愈多便產生腫脹，尤其水腫更是身體虛胖的主因。

　　不論年齡性別，腫脹都跟泌尿系統有關，也就是和下半身循環有關，當血液循環回流有障礙時，即產生身體腫脹。由於腳距離心臟最遠，當氣血無法到達末梢，腳也容易冰冷。此外，年紀愈大氣血愈衰，循環能力變差，再加上地心引力的關係，也會出現胃下垂、子宮下垂等現象。

　　因此除了睡眠充足、注意飲食之外，多做臀、腿運動效果更佳，可增加血液循環，有效幫助減輕月經前的浮腫及腫脹感。當下半身有力時，排便、排汗、排尿就有力，身體就更有餘力排毒了。如果腫脹是內臟疾病引起的，請盡早就醫。

→**實用功法：反地心引力＋躺式運動**

瑜伽與經絡

實用功法的經絡穴位：

環跳穴： 屬膽經經脈的穴道，意為轉環跳動
屈伸之處，故名環跳。此處久坐會
造成循環不好、緊繃，就容易囤積
廢物、累積脂肪。多敲打、揉壓、
延伸，可以預防坐骨神經痛，腰
背、腿無力或痠痛。讓下肢能屈能
伸、靈活自在。

風市穴： 屬膽經穴位。風邪、風氣聚集之處
為風市。每天敲打、按、壓延展此
處，能多排毒祛風，消除腿腫脹與
痠痛感。加強拍打或揉壓大腿膽經
外側，對想瘦大腿的人會有明顯的
效果。

連動式 向上抬腿

【動作】

平躺，頭頸肩在地。將肚子有力地往下沉，讓腰部貼地。

雙手展開與肩同寬，臀部不離地。勾腳跟，雙腿併攏向上抬。運用腹部與大腿的力量將雙腳盡量抬與身體成90度。停留3個自然呼吸。

功效 躺著也可以鍛鍊到腹肌和腿部力量，尤其是年紀大或水腫時，剛開始盡量用坐著或躺著運動，可以減輕膝關節、踝關節的負擔和磨損，使身體減輕負擔。

連動式 雙腿開展

【動作】
雙腳慢慢向兩側打開。依照自己的能力盡量開展，腳與膝蓋盡量伸直，勾腳跟。停留3個自然呼吸。

【意念】
感覺妳與大地的連結，妳的手和身體已深深的根植在地上，雙腳就像一朵花，正慢慢綻放，吸收養分，直到綻放出最極致的美麗。

功效 大部分的人脂肪都堆積在下半身，下盤的涵蓋範圍從腰、臀、大腿、膝蓋、小腿再到腳踝；腿部有六條經絡：脾經、肝經、腎經、胃經、膽經、膀胱，主要影響到泌尿系統的排泄。

連動式 手腳並用

【動作】

雙腳併攏,保持勾著腳跟,使用腹部的
力量停留。

雙手離地往上抬,手心相對,手臂與身
體保持垂直。停留3個自然呼吸。

功效 手臂向上延展可幫助血液回流至肩膀,雙腿向上延展有助血液回流至臀腰和骨盤。

連動式 花開並蒂

【動作】
右手向後、左腳向前斜伸直，左手與右
腳保持和身體垂直不動。停留3個自然
呼吸。

功效 做反方向（反地心引力）動作時，可以釋放我們累積的疲勞，做抬腿能一點一點消除積聚在下半身的疲勞，可持續增強腹肌力和大腿肌力，同時代謝體內毒素。

連動式 雙雙對對

【動作】

雙手雙腳換邊重複〔式 4〕動作。停留3個自然呼吸。

記得手指頭要伸直、勾腳跟。手指、腳趾要有向上穿透延
展的力量。

功效 除了更加強反向的延展外，手腳替換是為了平衡，及在動態當中帶出身體的能量。

[延伸變化]

當我們站立時，氣和內臟都是往下的，做反地心引力的動作能預防內臟下垂。這個延伸動作又比前述5連動將身體部位抬得更多，更把臀部、身體、五臟六腑都倒轉過來了。〔肩立式〕是瑜伽之后，〔鋤式〕可以預防子宮、卵巢下垂，對女性朋友很好，但生理期時切記不能做，頸肩受傷或高血壓的人也不要做。

【肩立＋鋤式】

·動作：

❶雙腳慢慢向上伸直，依自己的能力把腳、大腿、臀、脊椎成一直線，做〔肩立式〕。初學者可膝蓋微彎。停留3個自然呼吸。

❷吐氣，腳尖慢慢的朝頭後方放下著地，做〔鋤式〕。初學者不用勉強腳尖著地。停留3個自然呼吸。

❸慢慢的從背、腰、臀、腳還原。身體回正的過程，頭部不可抬起。初學者、肩頸僵硬的人，可在肩膀下墊個厚毯，以保護頸椎。

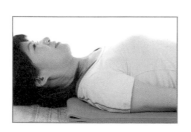

■ 妳也可以這樣做～

靠牆抬腿：
- **輔具** 牆面
- **動作** 雙腿併攏靠牆躺在地面，臀部盡量靠近牆，雙手朝外張開與肩齊平，掌心貼地。

  雙腿併攏向左伸展，臀部盡量不離地，配合自然呼吸。

  雙腿回正，併攏向右伸展，配合自然呼吸。最後再將雙腿放下，放鬆休息。用牆的輔助，幫助妳抬高腿。

臀壓枕木：

- **輔具** 枕木
- **動作** 坐著，將枕木放在臀部下，雙手向後撐地，雙膝微彎，用身體重量壓枕木左右滾臀部，深層按壓環跳穴。也可以躺姿做此動作。

李玉美的健康百寶箱

身體水分代謝不好，長期下來會累積在體內形成浮腫，加強氣血循環能有效改善此狀況，藉由運動和飲食的利水作用，可幫助排便、排尿、排汗順暢，也能改善腹脹便祕的情況。

■ 腹部縮放

終日坐辦公桌、打電腦，因為忘了腹部呼吸，導致腹肌無力，無法產生腹部力（腹壓），而坐久了就顯得無精打采，也容易形成肩膀痠痛和腸胃疾病。農業社會的工作者，常肩挑重物走路、做活，是無意識地用丹田在呼吸，因而精力旺盛；反觀都市生活的人，常用腦過度，多是用胸在呼吸，因此呼吸淺短易感到疲勞。

·做法：

舒服地坐下，用腹式呼吸將肚子往內縮到底再放鬆。肚子凹凸重複做，依照自己的能力決定做多少次。任何時間空腹做練習，吃飽或月經期間不要做。

紅豆薏仁飯

養生食譜

紅豆有利尿消腫、消熱解毒、涼血養血的功效。薏仁能改善泌尿系統感染、浮腫狀況。平時煮紅豆湯喝時，盡量吃粒不喝湯，較能吸收食物的營養。

· **材料：**
　紅豆＋薏仁＋糙米
· **做法：**
　先將紅豆和薏仁浸泡4～5小時，再把材料依1：1：1比例放入飯鍋一起煮熟即可。

檸檬水

養生食譜

檸檬有生津止渴、通便助消化、消除疲勞、預防感冒等多重功效。多喝檸檬水有益淨化身體，而加鹽則有伏胃火之效。女人的包包內，水壺如同錢包一樣的重要，有時身體浮腫是因為水喝得不夠，無法代謝不好的東西。養成隨時有空就喝水的習慣，但切忌大口牛飲，水一定要慢慢喝，才有助身體細胞吸收，就好像小雨能讓大地滋潤，大雨則會沖刷土壤的道理一樣。

· **材料：**
　檸檬＋開水＋淡鹽
· **做法：**
　一顆檸檬約配上300CC或500CC的水，再加少許鹽即可。

[Set 5] 發揮淋巴功能5連動
全面增強免疫力！

　　女人的月經可看做是體內血液淨化的過程，如果希望經血排出順利，平時就要增強淋巴系統的功能，經血才會排得乾淨。

　　淋巴系統是身體防禦的前哨站、抵抗細菌病毒的第一線，與血管一樣布滿全身，為體內循環系統的一部分，以頸部、腋下、鼠蹊為淋巴最密集之處；主要功能包括運送養分、代謝毒素和廢物，負責免疫功能。由於淋巴系統具有淨化血液的功能，等於為我們的健康把關。所謂「癌」即是淋巴系統阻塞或功能異常，使得體內毒素經年累月堆積在體內無法排出；從拆字來看，石、山、病，這些堆積如山的石頭（毒素）就成為癌了。

　　既然淋巴系統是身體排除毒素最主要的途徑之一，透過瑜伽的延展、敲打、按摩，將痠痛帶到體外，才能使體內的氣血不淤塞、毒素不累積，疾病自然遠離。瑜伽是要我們做反向的動作，伸展平常較不用的肌肉或不常運動的部位，是最好消除疲勞、排除痠痛的方法。唯有趁年輕時去找痠痛，年老時痠痛才不會來找妳。

→實用功法：淋巴排毒＋全身運動

瑜伽與經絡

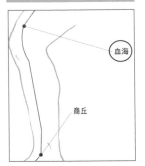

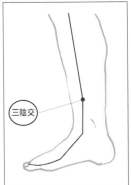

實用功法的經絡穴位：

血海穴： 屬脾經穴道，是脾血匯聚
之處，叫血海，有袪瘀血
及生新血的功能。在此處
做伸展或拍打、揉捏，對
月經不調或閉經、阻塞、
下肢循環差，有很好的調
理保健功效。

平日可盤坐以手肘按壓

三陰交： 是足三陰——脾、肝、腎
經三條交會穴，故名三陰
交。是主一般婦女的疾病
及生殖泌尿系統的穴位。
多伸展、按壓、揉捏對血
液循環及新陳代謝很好。

以交足跪坐方式按壓，
省力又強效。

連動式 開腿坐姿

【動作】
身體坐正，雙腿盡量向兩側打開，脊椎直，不要彎腰駝背，調整骨盤坐正，腳尖內勾。

功效 加強筋骨鍛鍊，拉筋延展對淋巴的循環很有幫助，有所謂「血養筋，筋養骨」，倘若筋失去柔韌性而緊繃的話，骨和骨之間的關節就會僵化而沒有了張力，人就會顯得疲勞、不靈活。這些連帶關係的產生，都和筋肉有關連，所以「人」才被稱之為血肉之軀。

連動式 向右伸展

【動作】

右手肘向下放，左手向上延展，身體向
右彎，放鬆右側延展左側。停留3個自
然吸，記得要提肛縮陰。

功效 淋巴系統都位在內側。血液行走的方向是內側動脈從外側回流，血液要
能來去自如，積聚便會產生痠痛；假如血液要去不去、要來不來，血瘀氣
積，身體就會產生毛病，無論男女，都應該常做此動作。

連動式 ③ 向左伸展

【動作】
換手換邊伸展，放鬆左側並延展右
側。停留3個自然呼吸。

勾腳跟或伸直腳尖都可以交替做。

功效 多延展側脅部的腋下淋巴，能降低乳癌、肺癌的發生率。透過擴胸和抬
手的動作，使氣血到達手指末梢的勞宮穴，氣順時亦順了心情。

連動式 **4** 四肢伸展

【動作】

吸氣，身體回正。

身體前彎，雙手分別勾住腳拇
指，膝蓋伸直使內側筋盡量伸
展開來。停留3個自然呼吸。

初學者可將手放在地上支撐。

功效 伸展大腿時，能疏通到內側鼠蹊淋巴系統與後側的膀胱經，不僅對女
人每月經行有很好的效果，對男人的泌尿系統和攝護腺保健也有良好
效果。

連動式 五體貼地

【動作】
身體往前趴，依自己的能力
將下巴點地，不可勉強。手
指頭張開貼地往前伸直，腳
尖內勾，腳趾頭張開。停留3
個自然呼吸。

【意念】
將意念帶到手腳末梢，
在每一次的深呼吸中，
讓身體更加放鬆，也更
謙卑地匍匐在大地之母
的懷裡，感謝大自然給
予我們生的力量。

 增加手腳內側筋的柔軟度，有助於膝與肘關節的靈活度，而強化內側肌
肉的同時，也活化了淋巴系統。

[延伸變化]

妳可以依場地的方便性，來選擇站或坐著做三角伸展動作。如果妳膝蓋較無力，可以選擇前述的坐姿5連動。如果妳希望身體扭轉得更深層，可以選擇站姿來加強身體的能量。

【三角站姿伸展】

·動作：

❶雙腳張開，雙手平舉，預備站立。（圖A）

❷身體向左轉，右手向前左手往後成一斜線伸展，彷彿海鷗飛翔的樣子。停留3個自然呼吸。（圖B）

❸吐氣，身體側前彎。停留3個自然呼吸。（圖C）

❹起身回正，換邊右轉重複動作。最後起身回正，站立調息。

A

B

C

■ 妳也可以這樣做～

靠牆伸展：
- **輔具** 牆面
- **動作** 身體靠牆站立，雙手平舉。扭轉身體，左手向身後、右手向前，盡量貼牆延展。

腿壓枕木：
- **輔具** 枕木
- **動作** 坐著，將枕木放在大腿下方，用身體的重量按摩淋巴，可以定點壓或是輕輕滾動。

李玉美的健康百寶箱

我們平時如果很少活動筋骨，久而久之容易手腳無力、肩膀痠痛、氣血兩虛，一旦新陳代謝變差、免疫力降低，身體當然就生病也容易老化，因此活絡淋巴系統能幫助身體有更多的容氧量。癌細胞是厭氧的，血氣充足的話，病菌就沒有機會留在體內，身體無毒素累積，人就會能量滿滿。

■ 刮內側筋

做內部陰面淋巴的拍打、按摩、伸展，不但可暢通淋巴系統，身體代謝快，精神恢復也快，人就不會有倦怠感。

·**做法：**
用長木棒刮大腿內側和腋下的淋巴。

山藥燉排骨
養生食譜

山藥的荷爾蒙含量很多，是女性的健康良品，還能健脾胃，增強免疫功能。

·**材料：** 山藥＋排骨
（素食者可改成山藥＋腰果＋豆皮）
·**做法：**
葷食者用排骨熬高湯，素食者用腰果先滾好高湯。山藥切適當塊狀，加入高湯中。再將豆皮放入湯中，滾後關火悶五分鐘即可。這時山藥約七分熟，口感很脆。

PART 2
生理期休護　痠痛疲累不再來

月經是每個女人的好朋友，從十幾歲初經來潮，宣告女人的蛻
變開始，直到四、五十歲後停經，在這三十多個年頭裡，它陪
伴女人走過生命無數的精華歲月。

女人的子宮，象徵著孕育的生機，每個月規律的充血排血，默
默做好體內淨化，促使身體機能成熟，為「生育」這項天賦，
無私地奉獻，因此，面對這位親密的好朋友，女人自然要好好相
待，以感謝它給予身體的平衡與完整。

生理期是女人健康的指標

　　有句話說：「月經是女人健康的指標！」也就是说，我們如何對待生理期，身體就會回應怎樣的健康狀態給自己。其實，大多的「女人問題」都是從生理期開始，並受先天和後天的因緣相互影響；子宮先天的健全度是因，後天飲食習慣、保健養護、情緒關照或是壓力調適等是緣。

　　女人身體上種種不舒服，例如子宮、卵巢、腹腔或乳房的婦女問題，多半緣自後天的生理期沒照顧好，狀況嚴重者甚至出現腫瘤、癌症。而生理期要照顧得好，瑜伽絕對是一個很好的助緣，促使身體的健康指數增加。

　　儘管生理期為女人帶來生活或工作上的不便，但也因為經期出現的變化，如是否延後或準時、經量多寡、血塊、經痛等狀況，來察覺身體所發出的訊息，因此女人可以比男人更早期就發現病徵，只不過

有時我們太輕忽它了，不去看自己、不傾聽內在的聲音，只看自己願意看的，沒有勇氣去了解或面對真正的狀況，因而錯過最佳的調養時期。雖然瑜伽體位法不是給妳全部，但它絕對可以提供妳在身體上、乃至於和心、放鬆有關的一切寶貴經驗。

老祖母叮嚀的智慧

記得還是小女孩時，媽媽常常不厭其煩地告訴我，有關生理期該有的正確保暖觀念，像是不吃冰、不吃生冷食物、不穿低腰褲、不要洗頭、不做劇烈運動等告誡，那些老祖母的保養智慧我言猶在耳，卻見時下的年輕人反倒顯得不在乎，於是經痛、頭痛、噁心、畏寒、睡不安穩、疲勞、便祕、腹瀉、青春痘等症狀就通通找上門。

以我自己的實際狀況來說，因為長年的瑜伽修持，從來沒有經前症候群煩惱，也沒有任何生理疼痛發生，但卻在更年期

停經前意外發生經血過量情形，來經將近一個月，等我意識到情況嚴重時，刻意好好的休息一星期，經血才終於停了。

回想經血過量的原因，我認為是當時太忙太累了，女人在月經期間本該休息，我卻自恃身體一向很好，繼續忙於上課和演講活動。剛好那陣子先生出國，我得身兼雙倍的工作量，加上許多生活的瑣事要同時兼顧，弄得我有如蠟燭兩頭燒一般。

這時不禁想起十多年前我的禪修老師MA曾告訴我，生理期時不可以做太多的瑜伽動作，也不能過於使用腹腔力量。當時我只是聽聽而已，並沒有做到，因為

常年練瑜伽，我知道自己的身體狀況即使在生理期也很好，也就不以為意地繼續久站、教學。

當年雖曾再求證於MA，明明身體狀況就很好，為什麼經期來不能做瑜伽？MA語重心長地說：「妳現在不會有問題，並不代表以後沒有問題，這個影響是很長遠的。」所以，即使短時間內我們不知道影響有多大，但其實影響已然發生。如果時光真能倒轉，我一定每個月生理期時都要好好愛自己，讓身體多休養。畢竟，古老聖者所言，是長久累積的經驗所呈現出的智慧妙法，希望各位女性姊妹一定要在月經期間照顧自己！

生理期休護的保養效益

經過那次的經血過量後，我特地去大醫院看診，從乳房到子宮做了詳細的檢查，發現除了血紅素的數值極低以外，其餘身體狀況皆正常（血紅素不到7，醫生說血紅素降到6以下就得輸血了）。後來經由MA的介紹，我遇到一位非常好的中醫師鄭淑鎂醫師，經過三個月的湯藥調理體質，現在的健康狀況比起更年期前又更好了，不但血紅素正常了，身體機能和活力也都回來了。

其實，生理期、生產和更年期同為女人的最佳保養時機，是大自然給我們一個調整身體的好契機，若能每個月利用生理期細心呵護，就是防止老化、保養身體的最佳良方。尤其身為母親的人，更有責任將正確的保養觀念和知識，告訴妳的女兒，若能從小就學習如何與經期和平相處，經痛、疲累自然不會跟妳一輩子。

女人生理期時，身體各方面都很敏銳，因此更需要被關心保護，身體要的是休息而不是勞動或運動，為了有效幫助那些健康已失調，或是想正確了解生理期保養的人，我針對生理週期可能出現的狀況，設計了5天的休護課程，利用瑜伽枕做為輔具的舒緩法、靜坐放鬆法，幫助女性朋友釋放生理期的身體痠痛，並促使經血順利排淨。

生理期的順暢，是女性保健的根本，保養得宜未來的更年期就一定會健康。

Lesson 1

心平氣和的一天

　　多數人在經期來時，因為下腹的不適而習慣彎腰駝背，氣老是壓在胸口，外面的空氣無法進入身體汰舊換新。呼吸不順暢時，鬱悶就結在心裡，所有的焦躁、煩悶便無法獲得轉化。呼吸是身跟心的橋梁，透過深呼吸，讓妳的身體更貼近妳的心，體內混亂的空氣和思緒才隨之一掃而空。

　　放鬆和呼吸有著密不可分的關係，若動怒生氣便容易傷到氣，呼吸相對急促，而和緩的呼吸、覺察妳的呼吸就是在「養氣」，常常養氣就能沉得住氣，遇到任何事情就不會變得一籌莫展或暴跳如雷。因此只要我們注意呼吸的進出、節奏，心就能在一呼一吸之間慢慢的開闊了起來，頭腦清明，心亦自在。

　　做深呼吸時，喉嚨要放鬆，吸氣感覺胸前開了扇窗，享受自然給予的清新能量；吐氣感覺後背的緊張、壓力漸漸消除了。不管生活是如何的庸擾，記得隨時調息，更加覺知妳的呼吸，以擁有心平氣和的一天。

休護方法 **1** 靜坐調息

【動作】

方便坐，兩個坐骨落在瑜伽墊上，臀部墊高。身體重量平均分布兩邊，小腹放鬆，雙手自然置於膝蓋前緣。

脊椎平直，胸口放鬆，眼睛可閉或睜開但目不視物。自然呼吸。

休護方法 ② 淨脈呼吸法

【動作】

單手大拇指按住右鼻孔，用左鼻孔呼氣，再吸氣。做3個呼吸。

放開大拇指，用無名指按住左鼻孔，右鼻孔呼氣，再吸氣。做3個呼吸。

雙鼻孔同時呼氣，再吸氣。做3個呼吸。再重複前述動作做3回。

功效 清潔神經系統，使頭腦清明，消除緊張的情緒，讓心更平靜，對鼻子過敏也很有幫助。

休護方法 鱷魚式呼吸

【動作】

趴下，手交叉，胸平放，感覺肋骨以下往下沉，胸骨以上浮起。雙腳內八，腳跟往外，腿部肌肉完全放鬆，在良好的架構上做橫隔膜肌的訓練。

注意力放在觀察起伏的狀態，以放鬆的心，覺知整個過程。

功效　鱷魚式呼吸是最有效、最安全的呼吸方式。當我們扭曲橫膈膜時，只能做有限度的交換呼吸，是呼吸的重建式。體驗什麼是橫隔膜呼吸重建，鍛鍊你已萎縮的橫隔膜肌肉，也是下背的修復式，可以改善下背痠痛的現象。

Lesson **2**

舒緩疼痛的一天

　　我們的上半身內臟有肋骨保護著，只有腰部是用肌肉保護僅靠腰椎支撐，在生理期間的腰痠起因點來自骨盆腔底的肌肉，不適感也會延伸至下腹部、薦椎、背部或到下半身。當生理期時子宮充血，月經又排不出去時，腰就更會痠；這時若腰再受涼的話，免不了增加腰背痛甚至經痛的狀況。

　　欲解決腰痠背痛的問題，得從肩胛骨開始做起；將胸口擴開，不讓肩胛骨擠壓到脊椎而產生胸悶，呼吸順暢痠痛自然減輕。生理期是身體能量最低的時候，量多時應該要避免做任何耗能量或站姿的動作，才不至損害到內臟，所以想要減輕生理期疼痛，就得用舒緩輕柔的方式伸展，並讓背部有輔具的支撐，既可分攤背痛，又能減輕腰痠。

　　瑜伽最主要能幫助妳按摩子宮及腸胃，同時促進這些器官的血液循環，改善缺血所造成血氧不足的疼痛。用伸展方式拉開子宮周圍、後腰及大腿僵硬的韌帶和肌肉群，可舒緩緊繃所造成的不適，讓心情也變得愉快起來。

休護方法 1 屈腿躺姿

【動作】

背部放一個大抱枕，舒服躺下。肩膀後旋，使胸擴開，尾骨往下順著躺下，雙手自然垂放身體兩側，頸部若是懸空，可於頭下墊塊毛巾。

雙腿可盤坐，或屈膝側彎，或腳掌相對成蝴蝶坐，自然呼吸。採蝴蝶式坐姿時，把瑜伽磚放在膝蓋下，可以減輕大腿內側的緊張。

功效 打開心臟的部位，增加腹部血液循環，舒緩腰痠背痛，可使經血排出順暢。

休護方法 2 休息坐姿

【動作】

雙腿輕鬆便坐。面前擺張固定腳的椅子，雙手肘交叉置於椅緣，額頭輕放椅子或小手臂上得到支撐，放鬆休息，自然呼吸。

休護方法 3 前趴休息

【動作】

雙腳向兩側打開，長抱枕置於前面。

身體慢慢趴下，把腹部、胸部、頭部放在躺枕上得到支撐，雙手自然朝前放。放鬆休息，自然呼吸。

功效 這是頭的方向改變和脊椎反向的差別，腹部不舒服的人,可以讓腹部多點支撐，往前趴,休息、放鬆。

休護方法 4 睡前休息

【動作】

睡覺前可以先在腰下墊一個小抱枕，身體放鬆休息個幾分鐘再拿開，有助舒緩一日下來的腰痠不適。

休護方法 5 熱敷保暖

【動作】

使用熱敷袋或是暖暖包，要隔著衣服放在腹部上，使子宮溫熱保暖，或是睡前沖熱水澡也可以，因為一旦子宮太寒，則氣血不動，下腹的功能就會遲緩到停止運作。

休護方法 6 行血飲食

月經來時避免吃躁熱與生冷食物，容易造成排經困難。黑糖是迫血下行很好的食品。此外，夏天中暑喝〔黑糖地瓜水〕亦可改善體內的燥熱現象；冬天風寒感冒喝〔黑糖薑茶〕還可驅寒。

黑糖地瓜水

材料：黑糖1或2匙＋地瓜粉3匙＋適量冷開水
　　　（水溫約10度C）

做法：

將材料放在瓶子內搖晃均勻即可。切勿使用溫熱開水，否則地瓜粉會變得糊稠；在要喝之前可再搖勻，以免粉質沉澱瓶底。

黑糖薑茶

材料：黑糖適量＋老薑
做法：薑帶皮和黑糖一起煮成熱茶飲。

Lesson 3

血氣順暢的一天

　　女人月經來時煩惱，不來又苦惱，但事實上女人應該要感謝它每個月會定時報到，因為那代表妳是個健康有活力的女人。通常如果經期排血不順，代表身體氣血虛弱，雖然一般人對於經血量過多或過少很難去測量，但若感覺有頭暈目眩、貧血等症狀，就要有所警覺地讓身體多休息，或者尋求醫生幫助。

　　生理期來的時候，不要做粗重的工作或劇烈的運動，因為氣動則血動，血隨氣行，如果這時還練太強或過度的體位法，氣血因循環變得較強，血液的流量也會加大；當血液過度循環時，易造成經血過度的、大量的排出，甚至有引發血崩的可能。

　　當然如果妳覺得血氣不順暢時，不妨透過底下簡單的瑜伽伸展、呼吸按摩，以及飲食方法，幫助妳月經來得更順一點。最重要的是，隨時保有健康快樂的心情，去化解每月經期報到的恐懼。

休護方法 1 側嬰兒式

【動作】
側趴躺下，雙腿屈起。猶如回到母親子宮，放鬆休息，自然呼吸。

功效 當我們身體不舒服時，身體會本能的捲曲起來，藉由這個動作能讓身體放鬆，並幫助妳不費力的自然排出經血。

休護方法 2 蝴蝶坐姿

【動作】

背靠在牆上，臀部放個坐墊，下背盡量貼牆。雖然身體是放鬆的，但脊椎還是要往上延展，不要駝背，否則會壓迫到腹部。

膝蓋彎曲，腳掌與腳掌相對成蝴蝶式坐姿。自然呼吸。

非生理期時，雙手抱腳板，身體可以前趴做加強版。

功效 開腿有助鼠蹊淋巴運行。膝蓋無法著地的人，可分別在膝下放抱枕支撐。全天下的女人，都要常練蝴蝶式，它是女性經期的代表動作。

休護方法 3 大字坐姿

【動作】

背靠在牆上，臀部放個坐墊，下背盡量貼牆。

膝蓋伸直，雙腳向兩側打開。自然呼吸。

休護方法 ④ 坐姿側彎

【動作】

坐下，膝蓋伸直，雙腳成大字形張開。

將大抱枕放在右腿上，身體右彎，上半身靠抱枕上休息，輕鬆伸展，自然呼吸。然後換腿做。

功效 這個動作很溫和，適合月經要來不來，又很想做點運動的人。

休護方法 ⑤ 坐姿前彎

【動作】

坐下，膝蓋伸直，雙腳向前伸展。大抱枕放在小腿上，身體慢慢前彎，雙手自然放在枕上得到支撐，輕鬆伸展，自然呼吸。

休護方法 6 按摩腹部

【動作】
坐下，雙手交疊放在腹部上，做順時針按摩。

功效 藉由輕柔的按摩動作，可以舒緩腹部壓力，將意念放在緩慢的呼吸上，可使氣血順行。

休護方法 7 行血飲食

麻油是女人做月子的聖品，有助於排除體內惡血，如果生理期的經血量少，也可吃點帶麻油的食物，不但幫助排血還能舒緩經痛。

麻油麵線

材料：麵線一把＋麻油少許＋薑＋米酒少量
做法：用麻油將薑先爆香，再於鍋內加水加酒煮滾，最後把川燙好的麵加入湯中即可。

麻油煎蛋

材料：麻油少許＋薑＋蛋一顆
做法：用麻油將薑爆香，再打顆蛋煎即可。

Lesson 4

充分休息的一天

　　我們人即使不動，只要疲倦或有痠痛，能量也會被消耗掉。經期時女性的卵巢、子宮等器官機能，從子宮內膜剝落、經血排出，還有為下一次排卵受精的準備，都需要花費身體很大的能量，以讓它們活躍地運作，身體當然會感到較疲憊，所以這時期更要有充分的休息與睡眠。

　　瑜伽其實是一種另類的休息方法，伸伸懶腰，舒展筋骨，從扭轉、蠕動、伸展的方式裡，肌肉放鬆，同時紓解疲憊的心。透過放鬆，使身體處於平順呼吸狀態，晚上就會睡得好，次日醒來才能有養精蓄銳的活力感。

　　起床時升起的第一個念頭，與入睡前的最後一個念頭很重要，它會影響妳今天一整天的能量與品質。但一般人通常醒來時，浪費時間在賴床上；入睡前，浪費時間在暇思空想，殊不知睡覺前靜心八分鐘，沉澱整日來的混亂和雜念，可換來八小時的睡眠好品質。試著每天養成睡前靜心或禪修的好習慣，當我們從睡眠中獲得充分的休息後，醒來時不忘給予自己正面的能量，告訴自己今天要做些有意義的事、過個愉快又充實的一天。

休護方法 助眠操

【動作】

躺著，雙手張開齊肩高度。

左腿向上抬，臀部不離地，輕鬆做。

左腿跨右邊伸展，自然呼吸。然後換腿換邊伸展。

 展開脊椎到腰部以下的肌肉。不需講求動作細節，只要以放鬆的方式，本能地伸伸手、踢踢腳，身心放鬆好入眠。

休護方法 ② 伸懶腰

【動作】

躺著，雙手朝頭後方伸直，雙腳彎曲打
開比臀寬。

吐氣雙膝向右，可以的話將膝蓋壓地，
輕鬆做，然後換邊重複輕鬆做，不刻意
用力，自然呼吸。

請聽老人言的一天

女人有月經雖然很辛苦，但照顧得好時，便是替未來的更年期儲存更多健康資本。老祖母對生理期的諸多養護觀念，是世代口傳的智慧良言，與那些古老聖哲們的經典名言相比，毫不遜色。只不過時下卻仍見不少年輕女性，平時吃冰就吃得兇，生理期來時依然生冷不忌，而且愛穿又緊又低的褲子，根本就無法保護到子宮，子宮怎麼會好呢？

生理期是女性調理體質的最好機會，是健康再造的最佳時機。各位女性朋友要好好把握，妳現在知道不代表做得到，有些事是需要一點意志力和耐心的。希望藉由老祖母的話，以及我自己的親身經驗，導正我們的生活習慣，大病小痛自然不會靠近妳，否則僅想靠瑜伽來挽回健康是很難的。別忘了，瑜伽是一門整體性的養生法，身體系統是很細膩又環環相扣，讓我們多聽老人言，從現在開始好好觀察自己的身體，好好的調養經期體質吧！

錯誤的經期觀念

【案例一】

小君在國二某次校外教學的秋訓，與同學們一塊兒外宿露營，期待已久本來應該興奮不已的她，不巧因為初經的意外報到，弄得既尷尬又徬徨無措。雖然同學們也沒太多關於月經的經驗，仍熱心的幫忙湊錢買衛生棉，只不過她還是於活動結束後發現經血已沾滿整件褲子。初經的量大，令她害怕到懊惱掉淚，當時有位同學見狀，便提供了自身經驗說：「妳可以吃冰，這樣月經很快就會沒了，我就是這樣做的。」於是小君趕緊要那些熱心買衛生棉的同學改買冰棒，果然，她的初經量確實立刻變少，而且隔天就停了，她如獲解藥般，欣喜地繼續參加秋訓活動。

沒想到，這月經一停就是好幾個月，在她幾乎快要遺忘有月經這回事，而且也沒有跟媽媽談論初經經驗的八個月後，終於第二次的月經來報到了。接下來的二十幾年來，她的月經從來沒有準過。直到近幾年開始接觸瑜伽，從瑜伽李老師那兒獲得照顧身體的知識，慢慢調理身體後，才重新找回自己的月經週期。

【案例二】

美茹從小學時就愛吃炸雞和可樂，常常在放學回家途中，一邊嗑掉超大辣雞排，一邊猛灌冰涼沙士，享受著吃完後胃充滿氣，打一大聲嗝的滿足。國中初經報到後，她仍愛吃冰品與炸辣的食物，但當時並沒有經痛問題，及至升上高中才逐漸浮現隱憂，每次生理期時她便感到與日俱增的腹部疼痛感、血塊漸漸變多，且色澤也趨於紅黑。儘管到了大學時，她改掉愛吃冰冷和炸物的飲食習慣，但不正常的作息、熬夜讀書、徹夜玩樂、三餐外食油膩，還是讓她在生理期間不斷地拉肚子，而且來經前和經期過後都會有頭痛的現象。

美茹經痛的情況似乎持續惡化，有時甚至會痛到直冒冷汗，整個腹部痙攣的現象，痛上個三天都不為過。直到28歲那年，她有次急性腹痛急診送醫，才發現自己長了巧克力囊腫，切除後經痛還是如影隨形沒間斷過。如今，她雖然在看中醫調養，但由於痛苦的經驗太深刻，她即使自我催眠要跟月經做好朋友，始終無法真正放鬆的靜下心來呼吸調息，尤其是工作壓力太大時，負面情緒多了起來，經痛也就更加的劇烈。

【案例三】

　　淑芬在國中月經剛來時，每個月幾乎都來得很正常，但隨著考試和升學的壓力下，書K得愈來愈晚，月經也愈來愈不規律。後來慢慢長大了，經歷高中與大學生活，正值荳蔻年華的少女就已經有亂經的困擾，究其原因莫過於睡眠問題，也許是為了念書，或是通宵上網，夜晚本該睡眠的時間卻依然是她的活動期，熬夜已經成了家常便飯的事，睡眠不足，造成沒有能量排出不好的東西，於是月經週期也就變得不正常了。

老祖母的智慧之言

■寧可不洗頭

　　我們常聽人說，女人坐月子洗頭以後必常頭痛，這道理其實跟生理期不洗頭是一樣的，尤其要避開經量最多的第二天。當我

們頭皮浸到水、毛髮淋溼時，血液的流速會受冷而變緩慢，甚至出現閉塞現象，本該排出的經血，則改留子宮內形成血塊，這也是經量過少、排不出的原因。當然，我們也不該輕忽血淤是造成子宮肌瘤的一大原因。

■子宮要保暖

　　子宮的健不健康，對女人的意義很大，因此下腹部一定要保暖得很好，手和腳也一定要保暖，我們不單要防外在的風寒，也要防內在的寒性體質， 因此在飲食上或出入冷氣房時，要多注意身體不要受寒。尤其絕對不要吃冰、不吃寒涼食物、不吃生冷的水果，想吃水果的話，可考慮木瓜和葡萄等有補血作用的水果。

■避免劇烈運動

　　經期間的身體狀況是非常脆弱的，這個期間不要做粗重工作，也不要做劇烈運動，包括一些大動作的（或過度的）瑜伽體位法，也不要搬提重物，更不要久坐或久站，避免下腹用力。

■不亂吃止痛藥

　　經痛時不要依賴止痛藥，尤其是西藥多少都含類固醇成分，而且還會讓身體無法排出廢棄物質，並減弱身體機能。

■睡眠要充足

　　常常睡得晚或睡得少的人，健康很容易跟著耗損。睡眠不足便無法修復我們的細胞，更沒有能量排毒，會造成便祕、月經不順、皮膚泛黃，因此充足的睡眠對每個人來說都很重要，尤其晚上十一點到凌晨一點是所謂的健康美容時間，若能擁有良好的睡眠品質，睡滿七至八個鐘頭，相信清晨起床時必定滿足於昨晚熟睡的喜悅，感覺元氣滿滿，健康加倍。

PART 3

更年期保健　迎接女人黃金期

身為女人，經期保健是非常重要的，特別是更年期到來前的幾年，那時的健康狀況，將決定妳更年期是不是順暢。

妳希望在更年期之後，依然擁有一個非常自在輕鬆、很美的黃金人生？還是變成一個身體狀況處處障礙、情緒低落的可憐女人？這些都取決於平日身心的整體保養，因為在世間不管要做多大多小的事，都需要健康的身體來成就妳。

更年期是熟齡智慧的開始

更年期是生命歷程中一個必經階段，男女皆然；但對女人而言，卻有著更深遠重大的意義，因為它是人生另一個黃金期的開始。但大多數年屆50的女人，經歷生活焠鍊，走入家庭奉獻大半輩子後，看著丈夫事業步上軌道，子女漸漸長大獨立，才驚覺到自己的青春消耗殆盡，正想對自己好一點、開始規劃晚年生活時，卻發現身體狀況不對勁，直到進入更年期，便認為自己真的變老了，充滿害怕與不安。

一般人都會將更年期與老化畫上等號，其實所謂的更年期只是一個過度階段，指女人從有生育能力進入到無法生育階段的這個轉換時期，大約從四十多歲到五十多歲，有的人會經歷數個月或甚至幾年的過度時間，月經開始從不規則到真正邁入完全停經。事實上，更年期不等於老化，老化的是卵巢機能，而非我們對生活的熱愛與對他人付出的能力。

安心迎接黃金更年期

每個人的更年期症狀不盡相同。多數女人在變化過程中，會出現身心功能紊亂

情況，因而被這些生理上的潮紅、盜汗、心悸、失眠、陰道、皮膚乾燥、頻尿，以及心理上的焦慮、緊張、恐懼、喜怒情緒等症狀所困擾。

一年前，我正經歷人生的更年期，很幸運地完全沒有任何更年期的現象，這必須要感謝瑜伽和長期接觸禪修與佛法哲學，讓我對世間的一些看法、價值觀有了比較豁達的角度。我不容易太執著和煩惱，因為最耗損能量的就是執著一堆煩惱、壓力。建立一個有價值的人生和通透的看法，在生活上實修實踐，對每個人來說都非常重要，唯有實踐才能產生力量。

不論現在的妳是處於更年期前，或正面臨更年期，還是已經停經了，我想以親身的經歷告訴大家，我在停經前，有一個月內經血不停的經驗，讓我更體會到經期時休息調養的重要。更年期的我，沒有任何的不適或不舒服問題，而且在更年期之

後，我覺得完全自由了，是另一個自在的人生成熟階段。

注重經期保養真的很重要！不可等閒視之！即刻保養自己的身體為時未晚，若能放下任何的不安與擔憂，平時多運動、注意飲食、保持正面思考、心情開闊樂觀地好好照顧自己，女人就能愉快享受更年期後的美好日子。

我在更年期最大的體會是心境的喜悅與平靜，希望能進而幫助他人成為周遭人生活中的小燈塔，照亮自己與他人，但願經由我的經驗分享，讓更年期成為女人的黃金階段，祝福天下所有的女人有一個很順暢的更年期。

109

更年期身心保健操

　　女人要有健康的身體，才能好好規劃更年期之後的美好日子。多數女人經歷更年期時，因為荷爾蒙逐漸缺乏，連體重也會增加，我就曾於四個月才來經的期間，照樣規律的飲食和運動下，竟莫名其妙胖上一公斤，其實更年期後發福並不是福，可能是隱藏性疾病的預兆。

　　當女人年過50之後，除了透過運動來維持正常體態，還要吃對食物，並保持只吃七八分飽、晚餐少量的原則，就能有效控制體重。重要的關鍵在於要有意志力，當妳願意做這樣改變時，身體相應的也會是乾淨有益的食物，這就變成一種自然。例如我們做大禮拜就是這樣，剛開始要靠意志力，從痠痛到喜樂，到任運自然。

　　瑜伽的調理相當重要，因此我設計的這套保健操融合了動與靜，非常的簡單實用，一連串的律動下來，能夠幫妳從頭運動到腳。如果妳想特別加強哪個身體部位鍛鍊，也可從中擷取動作隨時隨地練。正確的瑜伽傳達，就像是好的肥料一樣，給身體滋養；就像種一棵樹，要有好的種子和養分，它才會開花結果。

　　只要舉起妳的手，挺起妳的腰，動起妳的腹，就可以享受瑜伽帶來的身心和諧，妳的心情也就自然而然開闊了起來，感覺自己可以更自在、自信、通透，並帶著滿滿的感恩，走向充滿成熟智慧的人生精華階段。這就像成熟的果實：香氣、甜度自然有，不必加香料、不必加糖，人生就是這樣……

① 旋轉手臂預防蝴蝶袖

A

【動作】

站立，雙腳張開與肩同寬，尾骨向
下。吸氣，雙手於兩側張開平舉。
（圖A）

吐氣，左手臂向前旋轉，從左肩胛
骨、手肘、手腕徹底旋轉至左掌心
朝上。重複做8次。慢慢做，覺知
妳的呼吸，去觀察妳的鬆緊之間。
換右臂旋轉，重複做8次。（圖B）

B

功效　當手臂和肩頸伸展開來時，可暢通手部的陰面與陽面經絡，幫助妳頭腦清
晰、呼吸順暢，消除一整天忙於使用滑鼠的手臂疲勞，還有效預防蝴蝶袖。

② 鷹式手臂甩掉五十肩

A

B

【動作】

左手肘下、右手肘上交疊；依個人狀況，可能的話手掌貼手掌。手掌若無法互貼的人，可改為互扣或盡量靠近即可。

吸氣，雙手上舉。眼睛看手指尖，胸口放鬆。吐氣，雙手回。慢慢做，重複做3～4次。（圖A）

換右手肘下、左手肘上交疊，慢慢做，重複做3～4次。（圖B）

功效　　這是前個動作的收功，強化靈活手腕、肘、肩三大關節，對五十肩、網球肘、媽媽手有預防的功效。

③ 伸展腿部骨質不疏鬆

勾腳跟可以拉開腿後側的膀胱經,抬腳可以鍛鍊到腹部的力量。側抬腿能強化腿的外側功能,幫助骨盤端正。

A（前）

B（後）

C（左）

【動作】

雙手叉腰站立，左腳跟往內勾抬起，用腹部力量讓身體保持平衡。做8次的前踢上下律動。踢的時候保持膝蓋伸直，若能力與時間許可的話，可以多做幾個8拍。換右腳重複動作。（圖A）

右腳站立，左腳向後抬，腳背伸直。做8次的後抬上下律動。左腳放回地上，換右腳重複動作。（圖B）

右腳站立，左腳向外側抬，左腳跟勾腳尖朝上，做完換腳做。做8次的側抬律動。（圖C）右腳站立，換左腳重複動作。

以上動作都是自然呼吸。

功效　這些不僅將腿的陰、陽面經絡都運動了，也能強迫氣血流向腳尖末梢。重複踢，速度加上律動可以加大伸展的空間；伸展增加柔韌性，律動增加肌耐力，幫助能量的提升，讓下丹田更有力，也可預防骨質疏鬆。

4 扭腰擺臀拒當小腹婆

A

【動作】

站立，雙腳張開與肩同寬，雙手於兩
側張開平舉，肩膀胸口放鬆。

將左腰往前推，右臀往後旋。（圖A）

換右腰往前推，左臀往後旋，上身盡
量保持朝前不跟著轉。持續畫8的旋轉
動作連續做8次。（圖B）

B

功效 有效按摩腹腔臟腑，及延伸側腹肌，預防小腹婆、水桶腰的身型。

⑤ 向上伸展呼吸更順暢

【動作】

站立，雙腳張開與肩同寬。吸氣，雙手上舉，右手握住左手腕，身體往上延展。停留3個呼吸。（圖A）

吐氣，身體向右側伸展，停留3個呼吸。（圖B）

吐氣，腳掌站穩不動，從下盤開始自膝關節、髖關節、腰椎、胸椎，慢慢旋轉到左前方，眼睛向上看，停留3個呼吸。（圖C）

改換左手握住右手腕，重複動作。

功效 腳掌不動才會加大扭轉的空間，腹腔內的臟腑按摩也會更徹底。扭轉時肩胛骨要保持開展，有助於肋間骨和橫隔膜打開，使肺部二氧化碳排出，呼吸得更深層、順暢。同時暢通身體側邊的經絡、按摩腎臟，並強健身體側邊肌力和柔韌性。

A

B

C

6 搭座橋預防子宮下垂

【動作】

身體躺下，屈膝，腳掌靠近臀並與臀同寬，雙手放在地上，掌心貼地。肩膀打開，頸部放鬆。（圖A）

吸氣，將臀部抬離地面，上半身也跟著離地，腳掌保持平行。停留3個呼吸。（圖B）
重複做3～5次。

A

B

功效 幫助延伸大腿前面的肌肉，預防子宮下垂，同時延展到鼠蹊淋巴，加強代謝功能。

⑦ 彎腰滾背循環更順暢

↘ 彎彎腰伸展僵硬筋骨

【動作】

吐氣，身體向前彎，依自己的身
體狀況來決定彎到哪個程度，停
留3個呼吸。

↘ 滾滾背強化泌尿系統

【動作】

緩緩蹲下，再把臀坐在地面，屈膝以雙手抱膝，大腿盡量貼近腹部。（圖A）

呼氣，身體向後倒，腹部用力，依序從尾椎薦骨、腰、背慢慢滾背，再反向依序滾。滾動時，肩頸盡量不著地。重複滾動8回。（圖B）

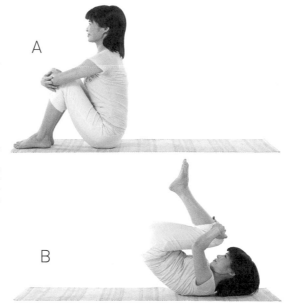

A

B

功效　幫助下背按摩脊椎、尾椎和坐骨神經。擠壓到鼠蹊內側可增強泌尿系統，有助將不好的東西排出體外。

↘ 快樂腳舒緩背部緊張

【動作】

躺下。雙腳向上彎曲，膝蓋打開，雙手由外側握住腳底板，讓雙腳盡量張開。停留3個呼吸。

功效　舒緩背部、腳部，並打開髖關節，讓血液循環回流到骨盆。

↘ 攤屍放鬆心靜氣自順

【動作】

躺平，雙腿伸直，雙腳張開約45度角，腳尖微微朝外。雙手自然放於身側，腋下要有空間，掌心朝上。

眼睛閉上， 從眉心、前額、下顎、頸部、肩膀、手臂、手肘、手指尖，到胸口、腹部、鼠蹊、大腿、膝蓋、小腿、腳踝、腳趾尖，全身放鬆休息，自然呼吸。

功效 瑜伽動完之後，便是靜的時刻，讓氣脈慢慢平順，使身體獲得良好的協調。

李玉美的更年期百寶箱

上了年紀的女人容易腰痠背痛、骨質疏鬆、身材發福，其最主要的原因還在於久坐不動，脊椎骨整天往前缺乏往後的姿勢，因此多培養運動習慣、維持良好的生活習性，加上正確的飲食調理，做好更年期保健，更能提升晚年的生活品質。

■ 身體後彎

·**做法：**

身體左側躺下，左手朝上伸直置於頭下，右手朝前掌心貼地。雙腿伸直，右腿疊在左腿上。（圖A）

A

將右腿向後伸展，停留3個呼吸後，改換右側躺並重複動作。（圖B）

B

雙手雙腳收回，屈膝成側躺嬰兒式休息。（圖C）

C

■ 身體後彎【加強版】

·做法：

身體左側躺下，右手與左手朝頭
上方伸展，右腿與左腿併攏伸直
準備。（圖A）

雙手和雙腿朝後彎曲，做安全的
後彎，停留3個呼吸後，改換右側
躺重複動作。最後同樣以側躺嬰
兒式休息。（圖B）

A

B

■ 縮腹提臀

·做法：

站立，雙腿與肩同寬，雙手叉腰，膝
蓋微彎，但膝蓋不能超過腳趾頭。

往前縮腹、往後放鬆，將臀部自然律
動，自然呼吸。律動時注意臀部不能
夾緊，要盡量縮下腹。每天早晚練
一百下，保險一百，健康百分百。

養生豆漿

養生食譜

黃豆富含植物性蛋白質，可改善女性更年期症狀。

·材料：
有機豆漿＋杏仁粉＋黑芝麻粉

·做法：
一杯有機清漿（可以到有機店購買或自製）；喜歡甜味的人可再加點黑糖調味，不過因為接下來要加的杏仁粉本身就甜，所以黑糖的用量要少或甚至不加。適量加入杏仁粉、黑芝麻粉，拌勻即可。

炒鹽

養生食譜

鹽有降火功效，可伏胃火，有所謂「海味」稱號。

·材料：食用鹽

·做法：
食用鹽使用前，先用熱鍋乾炒備用。
每次需要煮食或炒菜時，使用炒過的鹽當調理用即可。

嫩薑絲

養生食譜

薑屬溫性食物，對胃很好，能去風寒、身寒，有所謂「山珍」稱號。

·材料：
嫩薑＋有機醬油＋香油

·做法：
嫩薑洗淨連皮切成細絲備用。
適量的有機醬油與香油做成蘸醬，即可沾來食用。

養生紅麴

養生食譜

紅麴能有效降低膽固醇，健脾益氣。

·材料：
有機紅麴 2 匙＋蛋一顆

·做法：
用些許麻油和茶油熱鍋，先煎荷包蛋至七分熟後取出。
熱鍋內放入紅麴和少許水，小火滾後，再將蛋重放入鍋內一起熱過即可。

全餐飲食

更年期婦女想要健康又不發胖的話，除了適度運動之外，這份均衡飲食建議是個很重要的飲食守則。偏食、營養不均衡，才會造成肥胖。因為身體沒有足夠的能量來代謝不好的東西，日積月累囤積在體內的廢物，就是形成肥胖的主因。此外，油炸和冰冷寒涼的食物要避免，且多吃當令蔬果。

做法：每日攝取的食物要涵括：全穀物、蔬菜、海藻、菇菌、大豆（葷食者可多加蛋、瘦肉）。各項配置方法與參考食材，請見下列表格。

全餐的設計：可以與疾病絕緣，遠離醫院。給身體最好的機會，扮演最好的醫生。

類別	代號	食材	功效
全穀類	A	全麥麵線、全麥麵條、銀芽米、五穀米、糙米	
蔬菜類	B1	洋蔥、青蔥、葫蘆瓜、絲瓜、冬瓜、牛蒡、蓮藕、西洋芹、小芹菜	促進新陳代謝，利尿通便，加速血液循環
	B2	各種深綠蔬菜、菠菜、甜菜根、胡蘿蔔	補血
	B3	西洋菜、芥菜、白菜花、綠花椰、青江菜、大白菜、小白菜、高麗菜（十字花科）	防病抗癌
	B4	山藥、菜頭、南瓜、地瓜、馬鈴薯	增強體力耐力
海藻類	C	裙帶菜、海茸、海帶芽、紫菜、海帶	強鹼食物
菇菌類	D	黑木耳、蘑菇、草菇、金針菇、香菇	含多醣體，有抗癌功效
大豆製品	E	豆腐皮、豆腐乾、豆腐	補充蛋白質
葷食	F	蛋、瘦肉、魚	

（ 全餐=A+B+C+D+E ）F類 可有可無

只要有全餐，身體痠痛會慢慢改善，補充到長期所缺乏的營養素，提升治療能力，讓不正常的身體現象逐步回到正常。

全素或素多葷少的飲食周
■週一、三、五 →全素
■週二、四、六、日 →素多葷少

在瑜伽裡　我遇見我自己。

這一天，真正為自己

讓專注回到心靈裡，讓身體在瑜伽裡

慢慢的，感覺自己

慢慢的，享受自己

透過瑜伽，認識美麗的自己！

LIFE YOGA
李玉美生活瑜伽教室

中山教室：台北市南京西路36號6樓之1●電話：02－25583456●吉林教室：台北市吉林路79號5樓之3●電話：02－25213128

www.maylifeyoga.com.tw

臉譜 心靈養生FJ2021

李玉美的**女人瑜伽**

教妳經前保養、生理期休護、迎接黃金更年期！

作　者	李玉美
文字採訪	廖薇真
責任編輯	胡文瓊、吳柔思
美術設計	方麗卿
攝　影	子宇工作室/張緯宇
服裝提供	**FILA**
行銷企劃	陳玫潾、陳彩玉、王上青
發行人	凃玉雲
出　版	臉譜出版

城邦文化事業股份有限公司
台北市中山區民生東路二段141號5樓
電話：886-2-25007696　傳真：886-2-25001952

發　行　英屬蓋曼群島商家庭傳媒股份有限公司城邦分公司
台北市民生東路二段141號11樓
客服服務專線：886-2-25007718；2500-7719
24小時傳真專線：886-2-25001990；25001991
服務時間：週一至週五09：30~12：00；13：30~17：00
劃撥帳號：19863813；戶名：書虫股份有限公司
讀者服務信箱：service@readingclub.com.tw

香港發行所　城邦（香港）出版集團有限公司
香港灣仔駱克道193號東超商業中心1樓
電話：（852）2508-6231　傳真：（852）2578-9337
E-mail：hkcite@biznetvigator.com

馬新發行所　城邦（馬新）出版集團
【Cite（M）Sdn.Bhd.（458372U）】
11, Jalan 30D/146, Desa Tasik, Sungai Besi,
57000 Kuala Lumpur, Malaysia
電話：（603）9056-3833　傳真：（603）9056-2833

初版一刷　2010年5月
ISBN　978-986-235-100-0
定　價　288元　HK＄96元

版權所有・翻印必究（Printed in Taiwan）

國家圖書館出版品預行編目資料

李玉美的女人瑜伽--教妳經前保養、生理期休護、迎接黃金
更年期！唯一受用一生的經期瑜伽保健書 / 李玉美◎著 --初
版----臺北市：臉譜出版：家庭傳媒城邦分公司發行
2010〔民99〕面：　公分，--（臉譜心靈養生FJ2021）
ISBN 978-986-235-100-0（平裝）

1.瑜伽　2.月經　3.婦女健康

411.15　　　　　　　　　　　　99004886